絶叫学級

しのびよる毒親 編

いしかわえみ・原作/絵
はのまきみ・著

集英社みらい文庫

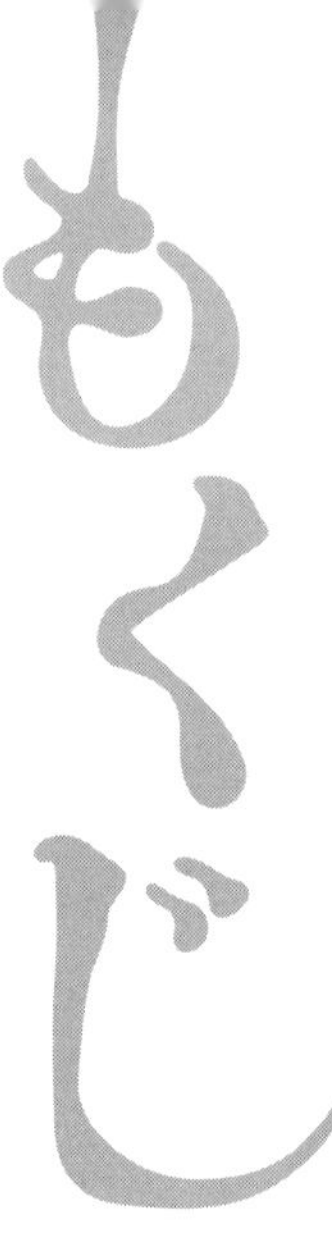
もくじ

133時間目

家族会議

プロローグ

みなさん、こんにちは。
絶叫学級へようこそ。
私の名前は黄泉。
恐怖の世界の案内人です。
チャームポイントは、長い髪と、金色に光る猫のような瞳。
下半身が見えない、ですって？
そうでしょうね。決してあなたの見まちがいではありません。
でもお気になさらず。この体、とっても快適です。
それでは、授業をはじめましょう！
今回は、心配性の家族の話です。

危険だから、やってはいけない。
心配だから、でかけてはいけない。
そうやって、なんでもかんでも禁止ばかりされていたら、うんざりしますよね。
どうやら主人公の少女も、過保護な父親をうっとうしく感じているようです。

でもじつは、この一家には、
ある秘密がありました。
その秘密とはいったい……？

斎藤綾花の家は、閑静な住宅街にある、ありきたりな一軒家だった。

家族は五人。

朝、みんながテーブルを囲むなか、綾花はむすっとした顔で立ちあがる。

（家族そろって朝ごはんとか、ウザ………）

高校一年生の綾花は、いわゆる〝不良〟だ。

耳にはピアス。あごの下の長さで切りそろえたボブヘアには、インナーカラー。

セーラー服は胸のリボンをつけず、いつも思いっきり着くずしている。

その上からフードつきのジャンパーを着て、ストリートっぽくするのが綾花のスタイルだった。

テーブルの上の綾花の食事は、ほとんど手つかずのまま残っている。

「あら、綾花ちゃん。具合でも悪いの？」

やさしいけれど、少し心配性な祖母が言った。

「ダイエットかな？」

いつでも笑顔の、おだやかな祖父が目を細める。

「牛乳くらいは飲みなさい、ね？」

きれい好きで料理の上手な母親が、牛乳の入ったコップを持って綾花をみつめる。

「…………」

綾花は返事をせずに、三人をにらんだ。

すると、新聞を読んでいた父親が顔をあげた。

メタルフレームの眼鏡をかけて、着ているワイシャツはいつもシワひとつなくぱりっとしている。ネクタイがゆがんでいたことなんて一度もなかった。

（そういうの見てるだけで、息がつまる…………）

綾花はテーブルからはなれ、床においておいたリュックを背負って、玄関にむかった。

すると、父親の声が聞こえてくる。

「綾花。今日の帰り、学校までむかえに行くよ」

綾花は振りかえり、舌打ちをする。

「いらない」

「でも、昨日は帰りが遅かったろ？　女の子が夜道を歩くのは感心しないな」

「遅い？　帰ってきたの、五時でしょ!?　フツーだわ!!」

綾花はどなった。

母親と祖父母は、そんな綾花を叱りもせずに、ははと苦笑いをしている。その態度も、綾花にとってはウザかった。

「でも……」

と、父親はまだなにか言おうとしている。

「しつこい」

そうはき捨てると、綾花は「いってきます」も言わずに玄関をでていった。

まじめだけがとりえのような家族。そのなかにいると、息苦しくなってしまうのだ。

授業66
「家族会議」
綾花
今日の帰り学校まで迎えに行くよ
ジャ
要らない

昼休み。

綾花は、親友のモモと舞子と三人で、進路資料室にいた。

もちろん、資料をさがすためなんかではない。いつ行っても誰もいないので、三人の暇つぶし場所になっているのだ。

モモと舞子の笑い声が、資料室にひびいた。

「ぎゃははは！　五時で夜道とか言っちゃう？」

モモが、長い髪をゆらして噴きだす。モモは、大人っぽい見た目に反して、笑い声がとても大きかった。

「五時は昼間だよな」

そう言う舞子は、見るからにやんちゃな女の子だった。机の上にどっかりと座り、紙パックのジュースをズズッと飲む。

「だってさ、まだ太陽でてるって」

「綾花んちのオヤジって、異常に心配性だよね」

「心配性っていうか、過保護じゃない？」

「…………………」

綾花は机の上にひじをつき、だるそうにスマホをいじっていた。

ふたりは笑っているけれど、綾花にとっては笑いごとではない。思わず言葉が荒くなってしまう。

「てか私、もう高一だよ？　かんべんしろよ、あのジジイ」

「うわ、綾花コワッ」

「まーまー。ひとり娘だから、しょーがないんじゃない？」

「でもさ、いまにはじまったことじゃないんだよ。昔からずっとなの。どんだけ私、信用されてないんだっつー話」

「反抗的な綾花のことが、心配なんじゃない？」

「…………」

綾花はふてくされて、スマホの画面をぼんやりとながめた。

(私だって、昔からこんな反抗的だったわけじゃない…………)

幼少期から、ずっと過保護に育てられてきた綾花。

あれは小学校に入ったばかりのころ。近所の公園で、友だちとブランコにのって遊んでいたら、父親がむかえに来たことがあった。

『明日からはもう公園で遊んじゃだめだよ』

『どうして？』

『遊具があぶないからだよ』

『でも、みんな遊んでるよ？』

『みんなは遊んでいても、綾花は帰るんだ。いいね』

『うん。わかった』

本当はぜんぜん遊びたりなかったけれど、まだ素直だった綾花は、おとなしく帰ったのだった。

ところが、家に着くなり、父親は言った。

『来週の遠足も、お休みしよう』

『なんで？』

楽しみにしていた遠足に行くなと言われ、綾花はしくしく泣きだした。

『山で迷子になったら大変だろう？』

『迷子になんてならないよ』

『そんなことわからないだろう。川でおぼれてしまうかもしれない』

『川に近づかないようにするから』

『だめだ。いつなにがあるかわからないんだから、遠足はやめよう』

結局、どんなに泣いても、遠足へは行かせてもらえなかった。

ただそのころは、斎藤家が過保護すぎるということに、綾花は気づいていなかった。他の家族を知らないのだから、くらべようもなかったのだ。

（私、別に、あぶないことしないのになあ…………）

いつもそう思っていた。いまでも思っている。

（おちついて行動するし、体も健康だよ？）

それなのに、両親や祖父母は、綾花が小学生のうちは遠足に行かせてくれず、中学生の時は部活動も禁止した。

昔のことを思いだした綾花は、むかむかしてきた。

「あいつら、私を支配しようとしてんだよ」

「ぎゃははは！　支配って大げさ！」

またモモが噴きだした。舞子は飲み終えたジュースの紙パックを、コトン、と机の上におく。

「でもさ、やっぱり過保護すぎだよね。うちの父さんなんて、ピアス開けてもぜんぜん気づかねーの」

「ははは。舞子のオヤジは気づかなすぎ。ピアスは気づこうよ」

ふたりの話し声を聞きながら、綾花は思った。

（そのくらいの親のほうがいいな。他の家みたいな、ふつうの親がよかった。とりかえてくれないかな）

悲しくなってきて、机につっぷす。

（そしたら、せいせいするのに）


その日の夜。

眠りが浅い綾花は、夜中にふと目を覚ました。

「のどかわいた……」

枕もとのスマホを見ると、二時十六分。むくりと起きあがる。

斎藤家は、早寝早起きだ。夜ふかしと朝寝坊が好きなのは、綾花だけ。この時間に誰かが起きていることは、まずない。

（もうみんな、とっくに寝てるよね。キッチンになんかとりに行こ……）

そっと部屋をでて階段をおりようとすると、一階から明かりがもれている。

綾花はおどろいて足をとめた。

どうやら明かりがついているのは、ダイニングキッチンのようだ。

（え？　こんな時間に、誰が起きてんの？）

そろりそろりと階段をおりて、ろうかを歩く。

（どうしよ。これじゃ飲み物をとりに行けないじゃん）

おそるおそるダイニングキッチンのドアに近づき、ガラス窓の部分からのぞく。

部屋のなかでは、家族四人がテーブルを囲んで座っていた。綾花の席だけがあいている。

（みんな起きてるって、どういうこと？）

しかも、四人とも深刻そうに表情をくもらせているのだ。

ドア越しに、なにやら真剣に話している声が聞こえてきた。綾花は耳をそばだてる。

「あの子、授業サボったらしいわよ」

母親がそう言うと、テーブルにひじをつき、考えこむような姿勢をした父親が、ため息をついた。

「またか………」

祖父と祖母は、悲しげにうなだれた。

「どうしたらいいんだろうか」

「私たちがいけなかったのかねえ」

綾花が顔をしかめる。

（え？　誰の話してんの？）

「最近は悪い友だちとつるんでるようだし、どんどん言うことも聞かなくなってるわ」

母親が押しころした声で言う。

父親がまたため息をついた。

「やっぱり、思いどおりにはいかないな…………。ははは…………」

(オヤジ、なに笑ってんの？　キモッ)

「先週も話したけど――」

と、父親が気をとりなおしたように言う。

(ていうか、まさか私の話をしてるんじゃないよね？)

夜中に集まって、こっそり自分のことを話題にしているのだとしたら、気分が悪い。けれど、部屋のなかに入っていって、それを確かめるのも面倒だった。

(まあいいや。勝手に私の悪口でも言ってればいいよ)

のどがかわいて起きたけれど、飲み物はもういらない。

(部屋に戻ろ)

そう思い、綾花がきびすをかえして立ち去ろうとした瞬間だった。

「綾花を――」

突然、自分の名前が聞こえてきて、綾花は振りかえった。
「綾花を処分したほうがいいと思う人は、手をあげてくれ」
（………処分？）
たしかにそう聞こえた。
処分、と。
綾花は、部屋のなかをよく見ようと目をこらした。
父親がもう一度言った。
「手をあげてくれ。多数決にしよう」
数秒の沈黙があったあと、暗い目をした母親が、スッと手をあげる。
祖父が小さく手をあげた。いつもの微笑みが消えている。
最後に、祖母がやわらかく手をあげた。
（え？　は？）
家のなかはしんと静まりかえっていた。
綾花の心臓が、バクバクとうるさく鳴りだした。背中を、つうっと汗が伝いおちる。

(なにこれ？　なんの話し合い？)

「満場一致で、綾花を処分することに決定した」

父親がそう告げると、他の三人はゆっくりと手をおろす。

「では、これから依頼をしよう」

処分？

多数決？

依頼？

綾花は混乱して、その場に立ちつくす。

あまりの恐怖で体が凍りついてしまった。

「…………！」

目を覚ますと、綾花はいつもと同じようにベッドに横たわっていた。

「あれ？　私、いつの間に」

自分がどうやって部屋まで戻り、ベッドに入ったのか、まるで覚えていなかった。

気づいたら、朝になっていたのだ。

「ゆうべのは、なんだったんだろ………？」

ぼうっとする頭のまま、着がえて登校の準備をする。

一階のダイニングキッチンへ行くと、みんなは朝食のテーブルをかこんでいた。

いつもの席で、いつもの笑顔。

父親はいつもと同じように新聞を手にしていて、母親はキッチンでミルクポットを用意している。

綾花が最後に起きてくることもふくめて、すべてがいつもどおりだった。

「おはよう」

「おはよう、綾花」

「綾花ちゃん、おはよう」

「おはよう。どうしたの。元気ないわねえ」

みんなに声をかけられ、綾花は一瞬、口ごもった。

「…………はよ」

（ゆうべ見たのは、夢？）

あまりにふだんと変わらない光景を見ているうちに、自分が思いちがいかなにかをしているような気になってきた。

（いや、でもはっきり覚えてるし……）

深夜に、両親と祖父母が話し合いをしていた。

綾花を仲間はずれにして、家族会議を開いていたのだ。

議題は「綾花を処分すること」。思いちがいなんかではないはず。

綾花は警戒し、ごくりとつばをのみこむ。

緊張しながらみんなの座るテーブルの横を通りすぎ、何気ない様子をよそおって冷蔵庫を開け、ミネラルウォーターのペットボトルをとりだす。

すると、綾花のすぐうしろから母親の声がした。

「処分していい？」

綾花はぎくりとして振りかえる。

母親が手をのばしてきたので、反射的に首をすくめた。

「…………っ!?」

しかし、その手は綾花の顔の横を通りすぎていく。冷蔵庫のなかのものをとろうとしただけだったのだ。

母親は、深皿を持ってにこにこと笑った。

「この煮物、おとといのよ？」

ラップをかけた深皿には、おとといの夕食にでてきた筑前煮が、まだたくさん入っていた。

綾花はほっと胸をなでおろす。

(なんだ……煮物のことか…………)

「おとといのだったら、まだ食べられるだろう」

と祖父が微笑む。祖母は「だめよ」と首を横に振る。

「だって、おなかを壊したら大変よ？」

父親は、新聞から顔をあげて言った。

「処分でいいんじゃないか？」

「そうよね」

母親はほがらかにこたえると、足もとにあった生ごみ処理機のフタを開け、皿の中身を
バサッとほうりこんだ。

まだ食べられそうな料理が捨てられていく。

その様子を、綾花は無言でみつめた。

「綾花」

ふいに父親に呼ばれ、ビクッとして振りかえる。ゆうべあんな場面を目撃してしまった
せいで、誰かがなにかを言うたびに、ビクビクしてしまう。

「今日はみんなで夕食を食べよう」

と、父親が微笑む。その口調は、ふだんとなにひとつ変わらない。

「………え？　夕食？」

「うん。母さんがおまえの好きなトマトシチュー、作ってくれるって」

母親が綾花に笑顔をむけてうなずいた。

「ひさしぶりに食べたいな、と思ったのよ。好きでしょう、綾花」

今日は　皆で夕食を食べよう
母さんが　お前の好きなトマトシチュー作ってくれるって

「おいしいものね。トマトシチュー」

「おじいちゃんも大好きだよ」

祖父母も、やさしげな笑みを浮かべ、綾花を見ている。

（みんなうそくさい。あんな話してたのに、なんで笑ってるの？）

綾花は、その日もろくに朝食を口にせず、急ぎ足で家をでていった。


昼休みになると、モモと舞子をつれて、あわただしく進路資料室にむかった。ゆうべ見たことを話して、ふたりの意見を聞きたかったのだ。

「なにそれ、秘密の家族会議!?　やば！」

笑い上戸のモモが、あっはっはっはと笑いだす。

「うん。夜中の二時すぎに」

「なんのために？」

「私を処分する計画を立ててた」

ふたりは顔を見あわせて、また笑う。

「いくら不良だからって、んな簡単に処分されんなら、うちなんて、とっくにされてるわ！」

舞子がそう言うと、モモが手をあげた。

「うちも〜」

「綾花が処分なら、うちらなんて百回くらい処分されててもおかしくない」

「そうだよ。うちらのなかじゃ、綾花が一番マトモなんだし」

楽しそうに言いあっているふたりを見ているうちに、綾花も少し元気になってきた。

「だよね〜。ありえないよね〜」

「そうだよ、ありえない」

（…………やっぱり、あれは冗談か、私の聞きまちがいだな。きっとそう）

すると、モモが指で長い髪をくるくるといじりながら言う。

「だいたいさ、処分って、なにするつもりなんだろ？」

「わかんない。〝依頼をしよう〟とか言ってたけど…………」

綾花が首をひねると、舞子がなにかを思いだしたらしく、人さし指を立てる。

「あれじゃね？　なんか矯正施設みたいなトコに入れられるとかじゃん？」

「矯正施設って？」

「ほら、全員ジャージで、朝とか四時くらいに起きて、ラジオ体操して、ろうかの雑巾がけとかするみたいなトコ。うち、テレビで観たことあるよ」

「えっ、まじ？　超ムリなんだけど」

モモも「なにそれ最悪。ムリムリムリムリ」と首を横に振る。

（カンベンしてよ、そんなの）

綾花は小さなころから、いろいろなものを禁止されてきた。

公園の遊具も、遠足も、部活も、みんなとめられた。

いまでさえ、息がつまりそうなのだ。そのうえ妙な施設になんて入れられたら、それこそ地獄でしかない。

突然、舞子がぱっと顔を輝かせた。

「ねえ、じゃあさ、家出しちゃう？」

「え？」

「オヤジのことがいやだって、ずっと言ってたじゃん。処分とかキモいこと言ってるんだったら、いっそ家出しようよ！」

「でも、家出しても、行くとこないよ………」

しゅんとした綾花に、モモが腕をからめてきた。

「だったら、うちに泊まりに来ちゃいなよ。うちの親、うるさいこと言わないし」

と、親指をグッとあげる。

「えー、いいなー、うちも泊まるー」

「うんうん、舞子も来なよ。三人で、お菓子とか食べながらゲームとかやったら、めっちゃ楽しそうじゃん？」

（家出か………）

綾花の頭に、今朝のダイニングキッチンでの様子が浮かんできた。

両親も祖父母も、みんなとりつくろったような笑顔を綾花にむけてきた。

おまけに、綾花の好物のトマトシチューを作るなどと言う。まるでご機嫌とりをしているようで、不気味だった。

それも、〝処分〟のためなのだろうか？

（たしかに、あの微妙な空気の家に帰りたくないな）

綾花は決心した。

こうなったら、家出してやる。

「うん、そうする！　私、家出する！」

モモと舞子が「やったー！」とハイタッチする。

「じゃあ、今日はもう授業サボって帰ろ？　大通りの、三丁目の交差点で待ち合わせね」

「おーし、準備じゃー」

三人は、午後の授業にでずに帰ることにした。


綾花が帰宅すると、家に人の気配がない。

「あれ？　誰もいない？」

ダイニングキッチンにあるカレンダーを見ると、今日の日付欄に「町内会」と書いてある。祖父は町内会の集まりに行っているようだ。

母親と祖母は、きっと夕食の買い物にでも行っているのだろう。父親はもちろん仕事に行っている。夕方までは帰ってこない。

「みんなでかけててよかった。早く準備しなきゃ」

こんなところを見つかったら、絶対にあやしまれるに決まっている。誰かが帰ってくる前に、家を抜けだしたかった。

綾花は二階の部屋に行き、リュックのなかにいろいろなものをつめていった。洗顔道具や歯ブラシなどのお泊まりセット。下着や靴下。着がえの服。メイク道具の入ったポーチ。

「いまのうちに全部つめて…………」

しかし、財布をとりだした時に、ふと気づいた。

「しまった。お金、小銭しかない」

数えてみると、六百円ちょっと。

「やばい。ぜんぜんたりない。どうしよ…………」

綾花は、ふだんからあまり現金を持たせてもらえなかった。もちろん、電子マネーアプりも禁止。

そのかわり、ほしいものはほとんど買ってもらえる。

「モモの家に泊まるのに、モモに借りるわけにもいかないし。舞子は…………あいつ、いつもお金持ってないからな、ムリだ」

綾花は壁かけ時計を見た。帰宅してからもう二十分もたっていた。

（やばい！　もたもたしてると、誰か帰ってきちゃうかも）

綾花はあわてて部屋をでて、二階のろうかのつきあたりにある父親の書斎にむかった。

（お金、ちょっと借りちゃえ）

そこは、父親が仕事に使う書類や本をおいている部屋で、綾花の興味のありそうなものはひとつもない。だからほとんど入ったことがなかった。

「どっかにお金、おいてないかな」

キャビネットのひきだしを開けたり、書棚の本を開いたりしてみたが、現金はみつからない。

「うーん。いまどき、へそくりなんておいてないか…………」

そうつぶやきながら、机のひきだしを開ける。

すると、写真立てがあるのが見えた。ひきだしの奥に、大事そうにしまわれている。

「写真？」

写真のことなんてかまっている場合ではないのに、一度目に入ると、むしょうに気になってしまう。

「なんだろ。気になりすぎる」

少しだけ見たら、すぐに家をでていくつもりで、手にとる。

しかし、そこに入っている写真を見た綾花は、ぼうぜんとかたまってしまった。

「……………これ、私が六歳の時の、誕生日の写真だ」

それは、ケーキをかこんで、家族みんなが体を寄せあっている写真だった。

真ん中にいるのは、髪を長くのばした六歳の綾花。イチゴがぎっしりのったホールケーキのうしろで、無邪気にダブルピースを作っていた。

父親は、水色の夏用ワンピースが入ったギフトボックスを持っている。

（このワンピース、覚えてる。すごくお気に入りで、体が大きくなってサイズが合わなくなるまで、ずっと着てた……）

写真のなかの家族五人は、心から幸せそうに微笑んでいた。

それをみつめているうちに、綾花の脳裏に、あの日の父親の声がよみがえってきた。

『お誕生日おめでとう、綾花。こんなに大きくなって、お父さん、うれしいよ』

（そうだった。昔はいつでも家族といっしょでうれしかった）

あのころは、父親のことをウザいとか、キモいとは思わなかった。

みんなに大切にされ、守られているという、絶対的な安心感があった。

（いつからそうじゃなくなったんだろう）

綾花の胸に、さびしさが押し寄せてきた。

ふと視線を落とすと、ひきだしのさらに奥のほうに、ノートサイズの冊子があることに気づいた。よく見ると、表紙に「ＡＹＡＫＡ」と書いてある。

（アルバム？）

とりだして、開いてみる。

思ったとおり、アルバムだった。

どこを開いても綾花の写真が貼ってあり、それぞれのページは、カラーペンやシールでかわいらしくデコレーションしてある。

きっと母親が飾りつけたのだ。母親はこういうのが得意だから。

「アルバムの写真、全部私だ……」

ジャングルジムで遊ぶ綾花。

麦わら帽子をかぶり、スイカを食べている綾花。

もこもこの帽子とコートを着て、雪のなかで笑っている綾花。

クレヨンをにぎって、泣きべそをかいている綾花。

写真のなかのどの綾花も、とても無邪気な顔をしていた。どの綾花も、家族の愛に満ちているように見えた。

「子どものころの私って、こんなふうに笑ってたんだ」

そのなかに、誕生日パーティーの写真があった。ケーキをかこんで家族が集まり、目線はカメラのほうをむいている。

「これも、あの誕生日の写――」

そう言いかけて、綾花は奇妙なことに気づいた。

「――――これ、私？」

ケーキのうしろでダブルピースをしているのは、まちがいなく綾花だった。

ケーキにのっているろうそくは「6」の数字をかたどったもの。

ところが、ケーキがちがう。綾花が注文した、イチゴがぎっしりのったホールケーキではない。

さらに、父親の持っているプレゼントもちがう。ローラーブレードを持っているが、綾花はローラーブレードなどもらったことは一度もなかった。

（さっきの写真とちがう。どういうこと？　なんで六歳の誕生日写真が二種類あるの？）

二回もパーティーをした覚えはない。

「これ本当に、私なの？」

綾花は、アルバムの写真と、写真立ての写真を見くらべてみた。

綾花の髪型がちがう。アルバムの写真ではふたつにむすんでいるが、写真立てのほうではまっすぐにおろしている。

HAPPY BIRTHDAY
AYAKA
DAY AYAKA
…違う
それに
みんな若い…
パサ
AYAKA
スル
…
私？

ちがいはそれだけではなかった。

「……みんな若い」

アルバムの写真は、綾花以外の家族がみんな若いのだ。少なくとも五歳、いや、十歳は若く見えた。

その時、持っていたアルバムから、パラッとなにかが落ちた。書類の入った封筒だ。

「なにこれ」

封筒を拾いあげて、なかの書類を開いてみる。

綾花は、自分の目をうたがった。

【死亡届】

綾花の死亡届だったのだ。はっきりと、綾花の名前と死亡した日時が書いてある。

「死亡……私が……？」

書類はもう一枚あった。

【クローン生成同意書】

下記の条件で人間をクローン生成することに同意します。


おそるおそるその同意書を見ていく。

すると、綾花の名前や性別の他に、「体細胞を使用」「生後1日より利用開始」といった文字がならんでいる。

「これって、まさか――」

綾花がつぶやいた、まさにその瞬間、背後で声がした。

「おかえり、綾花」

「ひっ……………!」

振りかえると、スーツ姿の父親が立っている。

(いつの間に？)

父親は、綾花が手に持っている書類にちらりと視線をむけ、表情ひとつ変えずに言った。

「見たのか」

「……………………!」

綾花は父親をにらみつけると、書類とアルバムを思いきり投げつけた。

バサッと激しい音がして、アルバムが父親の額にあたる。ひるんだすきに、父親の横を走り抜けた。

「綾花!!」

追いかけてくる父親を振りきり、部屋から飛びだす。

「うるさい!　来ないで!」

持ち物をつめたリュックをとりにいくことも忘れ、綾花は外へかけだしていった。

(だから……だから家族のなかで、私だけが浮いてたんだ)

走っているうちに、ゆうべのことが思いだされる。

『思いどおりにはいかないな』

『処分することに決定した』

あの家族会議で、父親ははっきりとそう言った。

（ありえない………）

書斎でみつけた、二種類の誕生日写真。どちらの綾花も六歳だった。

（ありえない、ありえない！）

綾花はふたりいて、ひとりが本物。きっと髪をむすんでいて、ローラーブレードをもらったほうが本物、つまりオリジナルの綾花だ。

水色のワンピースをもらい、髪をおろしている綾花は――私は――。

（私がクローン………!?）

クローンだったのだ。

そんなことも知らず、十六年も生きてきたなんて。

（ニセモノだから、処分しようとしてたの!?）

悲しくて、くやしかった。

歯を食いしばり、綾花は走る。

モモたちと待ち合わせをした三丁目の交差点は、もうすぐだ。

顔をあげると、横断歩道のむこうで、ふたりが手を振っている。

「綾花、こっちこっち」

「あれ？　あんた、荷物持ってないじゃーん」

歩行者用信号は赤だったが、気が動転していた綾花はまったく気がつかなかった。わき目もふらずに道路に飛びだしていく。

その時、一台の車が交差点にすべりこんできた。

ドン！

大きな音。

それにつづいて、車が急ブレーキをかける鋭い音と、なにかがアスファルトの上にドサッと落ちる音が、あたりにひびく。

気づけば綾花は、車道のわきに倒れていた。

「……………！」

体は痛いが、ひかれたわけではなかった。車とぶつかる前に、誰かがうしろから綾花をつきとばしたのだ。

体をゆっくりと起こし、道路のほうを見る。

そこには、スーツを着た男が、血まみれで横断歩道の上に倒れていた。

綾花の父親だった。綾花をかばって、ひかれたのだ。

「……………あやか…………大丈夫か？」

父親は、うつろな目をしてそう言った。

レンズのわれた眼鏡が近くに落ちている。ぱりっとしたワイシャツも、いつもまっすぐなネクタイも、すっかり血で汚れていた。

事故を目撃した人たちが「救急車は？」「いま呼んでる！」と叫んでいる。

綾花は父親のもとにかけ寄った。

「なんで？ 私、本当の子どもじゃないんでしょ？ なんで助けるの？」

「………そうだよ………お、おまえは本物の、斎藤綾花じゃない」

父親は、苦しそうに声をつまらせながら、話しつづける。

「本物の綾花は、六歳の時に、川の事故で………死んだんだ。友だちと川に遊びに行って………。お父さんもいっしょについていけばよかったんだ…………ついていかなくて、後悔したよ………」

…そうだよ
お前は本物の斎藤綾花じゃない…
本物の綾花は6歳の時に川の事故で死んだんだ
ついて行かなくて後悔したよ…
冷凍保存したあの子の遺体からお前を作ったんだ

「じゃあ、あの死亡届って…………」

「死んでしまった、綾花のもの、だよ…………。冷凍保存したあの子の遺体から、おまえを…………作ったんだ」

「遺体から？」

「ああ。今度こそ亡くさないように、立派に育てようって。みんなと話しあって。…………でも、いつまたおまえを亡くしてしまうか…………こわかった」

綾花はようやく理解したのだった。

どうして父親が、異常なほどに心配性なのか。なぜ家族みんなが綾花に対して過保護なのか。綾花を二度と失わないようにと、みんな必死だったのだ。

父親はゲフッと血をはき、苦しそうにつづける。

「だから、綾花の遺体を、ずっと…………とっておいた」

話すたびに口から血があふれだした。

「ねえ、もう、しゃべらなくていいから」

このままでは、きっと死んでしまう。綾花はなすすべもなく、救急車が到着するまでそばについていることしかできなかった。

「…………でも、やっとみんな決心がついたんだ。あの子を処分することに決めたよ」

「えっ…………どういうこと…………？」

綾花は目をまるくした。

「遺体は処分、する」

あの家族会議で処分すると決まったのは、オリジナルの綾花の遺体。十六歳になったクローンの綾花のことではなかったのだ。

父親は血のついた唇を必死に動かし、少しだけ微笑んだ。

「俺たちの娘は、たったひとりだから」

綾花のなかで、いままでの記憶が鮮やかによみがえった。

四歳のころ、家族みんなででかけた旅行。せっかく買ってもらったソフトクリームを落として、綾花は泣きだしてしまい、両親は必死になってなだめてくれた。

みんなで大粒のイチゴを食べたこと。イチゴが大好きな父親に、小さな綾花は「これはパパの分だよ」と食べさせてあげた。

中学生になり、斎藤家が異常なほど過保護だと気づいた日のこと。

高校に入学してモモたちと仲良くなり、親に反抗するようになったこと。

綾花の目から涙があふれた。

「お父さん………」

横たわる父親の手をとって呼びかける。

しかし、もう返事はなかった。

「お父さん、ごめんね……ごめんね………」


事故から一年後――。

朝、綾花が玄関で靴をはいていると、父親がやってきた。

「綾花」

メタルフレームの眼鏡に、シワひとつないワイシャツ。ネクタイはまっすぐで、どこにもゆがみがない。

綾花は振りむきもせず、面倒くさそうに返事をする。

「なに？」

「朝、近所で不審者がでたそうだ」

「で、なに？」

「送ってくよ」

「いらない」

冷たくことわられた父親は、しゅんとうなだれた。

ろうかの奥で、母親と祖父母が、ふたりのやりとりを見て笑っている。

「綾花ったら、もうちょっとお父さんにやさしくしてあげなさいよ」

「まあまあ。そう言わないで。元気な証拠さ」

「高校生の女の子なんて、そんなもんよ。ねえ、綾花ちゃん？」

靴をはきおえた綾花は、くるりと振りかえって笑った。

「そんなことより、今日はみんなで夕飯食べよ？」

父親は、一瞬おどろいたように眼鏡の奥の目をまるくし、それから笑いかえした。

「うん。そうだな、そうしよう」

「私、トマトシチューがいいな」

「いいわよ。楽しみにしてて」

と母親が手を振る。

「それじゃ、いってきます」

「いってらっしゃい」

綾花はドアを開け、軽い足取りで外にでた。

綾花の家にはいま、新しい「死亡届」と「クローン生成同意書」がある。

どちらも父親の名前――「斎藤和郎」と書かれたものだ。

同意書には「体細胞を使用」「死亡時の年齢まで人工的に急成長させたのちに利用開始」など、クローンについての概要が記されている。

いま、斎藤家にいる和郎は、あの日、事故で死んだ和郎の体細胞から作ったクローン。

液体で満たされたカプセルのなかで、人工的に作られた人間だった。

死んだ父親が持っていた記憶は、事故の記憶をのぞき、できるだけ再現してうめこんである。

(事故のあと、家族会議で決めた。お父さんのクローンを作るって。みんなでそう決心してよかった)

綾花が振りかえると、家族四人がドアの外にでて、綾花を見送っていた。

「いってらっしゃい」

「うん。いってきます!」

こうして斎藤家には、ふたたび幸せな笑顔が戻ってきたのだった。

そのころ、クローン生成業者の遺体保管庫では――。

作業服姿の職員がふたり、うす暗い倉庫を歩いていた。

だだっぴろい倉庫の壁には、一面にひきだしがならんでいる。

一つひとつのひきだしは、ちょうど棺ほどの大きさで、それがはるか遠くまで、上は高い天井にとどくまで、ずらりと設置してあった。

「材料、また増えたなぁ」

職員のひとりが立ちどまり、つられてもうひとりも立ちどまる。

ちょうど目の前のひきだしには、「斎藤家」の文字が入ったプレートと、通し番号がついていた。

「この斎藤さんち、娘の次は父親かぁ」

「ここの家もよくクローンを作るもんだ。俺はクローンなんていやだけどね」

「クローンを作る会社で働いているくせに、よく言うよ」

ふたりはくすっと小声で笑った。

「娘も父親も事故死だもんな。運がない家だ。クローンはどっちも元気なようだが」

「それより、この片岡さんちのほうがすごいぞ。また虐待死させたらしい」

「何人目のクローンだっけ。五人、いや六人目？」

「六人目だって。しかしなあ、勉強できないからってころすか？　かわいそうに
……………」

「まぁ、また同じモノを作れるんだし、同情は禁物だぞ」

そう言って、遺体の入ったひきだしの列を、ずっと上まで見あげる。

ふたりには、それがどこまでも高く、無限に積みあがっているように思えたのだった。

エピローグ

百三十三時間目の授業はいかがでしたか？

真夜中の家族会議。

満場一致で決まったことは、〝あるもの〟を処分すること。

結局、処分されるのは少女ではありませんでしたが、なんとこの少女はクローンでした。

死んだ娘が恋しくて、親が身勝手に作ってしまった人工的な生命です。

しかも、二度と失わないよう、まるで監視するように育てていました。

彼らはいわゆる〝毒親〟――。

たしかにそう言えるでしょう。

でも考えてみてください。

少女の父親だって、もともと毒親ではなかったのかもしれません。

大切な娘を失いたくない……そのいきすぎた愛が、クローンを作らせたのだとしたら。

ふふ。愛っておそろしいですね。
一方、完璧な子どもを求めて、クローンを作りつづける毒親もいるようです。
気に入らなければ捨てて、また次のクローンを作るのです。
この人たちが満足する日は来るのでしょうか？
完璧な人間なんてこの世にいないのに。
早くそのことに気づけばいいんですけど……。

134時間目(じかんめ)

無料生活(むりょうせいかつ)

プロローグ

みなさん、着席してください。
恐怖の授業のスタートです。
最近、世の中には、タダで楽しめるものがあふれていますよね。
動画。
マンガ。
音楽。
小説。
アプリ。
SNSも基本的には無料で使えます。
レストランでは無料ドリンクチケットを配っていることも。

応募すれば無料でもらえるお菓子や、アンケートにこたえるだけでもらえる化粧品なんていうものもあります。

うれしい時代になりましたね。

でも、本当にタダで大丈夫なのでしょうか?

気になる人は、ページをめくってみてください。

水無良は、「流行りモノ」に敏感な女の子だ。

たとえば、左右にゆるめのおだんごを作る髪型も、おしゃれ情報を発信している動画で「これがめちゃかわいいヘアスタイル！」と紹介していたので、真似してみた。

「すごいな。髪のまとめ方、タダで教えてもらっちゃった」

この髪型が気に入った良は、それ以来ずっとおだんごにしている。

いま、良のクラス、六年二組の女子の間で流行っているのは、『モテ×モテ』というアニメだった。

その日の朝も、良が教室に行くと、マリカと鈴奈がすっとんできて、興奮気味に話しだした。

「おはよ、良！　昨日観た？　『モテ×モテ』のアニメ。超おもしろかったよね」

マリカが、大きな目をくりくりさせてそう言った。

「観たよー。いいシーンで終わったよね」

背が高くて大人っぽい鈴奈が、うんうんとうなずいて言う。

「あのアニメ、原作はマンガなんでしょ？」

「うん。十巻まででてるらしいよ」

良がこたえる。良は流行りの情報はなんでも知っておきたいタイプなので、原作情報も知っていた。でも、まだ読んではいない。

「そうなんだ！　私、一巻から集めようかなー。十巻か…………全部でいくらだ？」

「私も集めたい！　…………あ〜、でも、今月おこづかいピンチなんだよ」

マリカと鈴奈がくやしそうに口をとがらせる。

「どう考えても買えない。でも読みたい〜っ！」

「私も読みたいなぁ」

もだえるふたりを、良はどこかさめたような目でみつめていた。

（…………ていうか、読む方法、あるのに）

「良ちゃんはマンガも読んだの？」

鈴奈にそうたずねられ、良はよゆうの笑顔でこたえた。

「まだだけど、たぶん読むと思うよ」

「いいな〜。買ったら貸して？」

「買うかわかんないけど、いいよ」

と、ふたりをその場に残して、自分の席に行く。

（……………こういうの、なんて言うんだっけ。んーと。バカ正直？）

買わなければ読めないと思っているなんて、バカ正直もいいところだ。

「だって私、お金を払わないで読む方法、知ってるんだもん」

そうつぶやき、ふふっと笑った。


その日の夕方。

帰宅した良は、うきうきとソファに腰かける。

手に持っているのはタブレット端末だ。

よね
マンガが元だって1巻から集めようかなー
あ〜でも今月おこづかいピンチなんだよ
…
う〜
…こういうの何ていうんだっけ
んーとバカ正直？
yakoo.co.jp
YAKoo!
モテ×モテ 漫画
検索

「なんで、マリカも鈴奈も気づかないのかなぁ」

検索画面をだし、〝モテ×モテ〟と、それから〝漫画〟、ふたつの単語を入力してタップする。すぐに検索結果が表示された。

『モテ×モテ』①〜②巻無料

「二巻までか。まぁ、いいや。十分だ〜」

良は、〝ダウンロードはこちら〟と書かれたアイコンをタップした。

「へへ。読むぞー」

(私のモットー。ムダなものは買わない)

インターネット上には、こういう無料サービスがあふれている。

マンガだけではない。音楽、動画、SNS用のスタンプやイラスト。そもそもSNSだって基本は無料だ。

どんなものも、気前のいい誰かが、無料で用意してくれる。

（だから無料で楽しんで、その分、本当にほしいものをちゃんと買うの）

さすがに、流行りの服や、人気テーマパークのテディベアは、無料で手に入れることはできない。良だってそういうものは、両親に買ってもらっている。

「名づけて、タダ生活♡」

良は鼻歌まじりにマンガをダウンロードし、夢中になって読みすすめた。けれど、二巻分はあっという間。気づいたら全部読みおわっていた。

「……………あっ、もう終わりか」

不満げに目を細めて、ぶーっとうなる。

「どうせだったら、全部無料にしてくれればいいのに」

全部無料で読めるのだったら、マリカのようにおこづかいの少ない子も、あんなにくやしがらなくてすむ。

ほしい人がほしいものをタダで手に入れられれば、みんな幸せになるはずだ。

「そうしたら、世界が平和になるじゃん？　いいアイデアだと思うんだけどな」

その時、母親の呼ぶ声が聞こえてきた。

「良、ごはんよー」

「はぁ〜い」

キッチンに行くと、母親がお茶碗にごはんをよそっているところだった。

テーブルの上には三人分のランチョンマットが敷いてあるが、父親はまだ仕事から帰ってきていない。

「パパ、いつも夜遅いね」

「会社で新しい業務をまかされているみたいで、忙しいのよ」

「ふうん」

朝も父親は、朝食をとったそばから、あわただしくでかけてしまう。一か月に何回かは県外に出張に行き、数日帰ってこないこともある。

母親も、良が高学年になってからは、毎日パートで働いていた。

(本当はみんなで旅行とかしたいけど………)

休日も、両親は見るからに疲れた顔をしているので、良はなるべくわがままを言わないようにしていた。

パパいつも
夜おそいね
忙しいのよ
おはよー
おすー
「モテ×モテ」の
マンガさー
え～
いいな～
あ 私
読んだよ♡
2巻までだけど
おもしろ
かったよ♪

「ねえ、ママ。旅行もタダで行けたらいいと思わない？　飛行機とか新幹線もタダで、ホテルもタダなの」

「いいわね。タダだったら、一週間くらい温泉旅行に行きたいわ。ずーっと温泉に入り放題よ」

「ははは。海外旅行だって行けちゃうよ？」

夢見心地でうっとりしていた母親は、はっと我にかえって言った。

「それじゃあ、先に食べようか。パパは今日も遅くなるらしいから」

「うん」

良はにっこり笑ってうなずいた。


翌日になっても、まだマリカはマンガの話をしていた。

「そういや、『モテ×モテ』のマンガさ〜……」

学校帰り。良とマリカ、鈴奈の三人は、いつものようにおしゃべりをしながら、大通りを歩いている。

「買ってほしいってママに言ったら、〝今月分のおこづかいを使いきっちゃったマリカが悪いのよ〟って、めっちゃ怒られてさ」

「私も、来月のおこづかいまで我慢だなあ」

と、鈴奈もしょんぼりしている。

そんなふたりをよそに、良だけは得意げに笑っている。

(ふたりとも、まだ知らないんだ…………)

良のよゆうの表情に気づいたマリカが、じとっとのぞきこんできた。

「ねえねえ、良。もしかしてマンガ読んだとか？」

「うん、読んだよ♡」

「「まじ？」」

マリカと鈴奈が、おどろいて立ちどまった。

(まあ、読んだのは二巻までだけどね)

と思ったが、それは心のなかにしまっておく。

「原作マンガ、おもしろかったよ♪　主人公に恋のライバルが登場して――――」

「え〜！　いいな〜！　良、貸して！」

「私も貸してほしい！　マリカの次でいいから！」

「それがさ、電子書籍なんだ。外にタブレット持ちだすと、ママに怒られちゃうから」

「「………そっか〜〜」」

ふたりは残念そうに肩を落とす。

その様子を見ていたら、なんだかふたりのことが気の毒になってしまった。自分が知っている方法を教えてあげてもいいかもしれない。

(だってネットでは、みんないろんな情報をタダで発信してるし。このおだんごヘアの作り方みたいに)

良も自分の持っている情報を、タダで教えてあげることにした。

「あのね、じつはタダで読む方法があるの」

良が声のトーンを落としてそう言うと、ふたりはぱっと笑顔になった。

「タダで読む方法？」

「えっ、教えて教えて！」

「じゃあ、家に帰ったらやってみて。ネットで、〝モテ×モテ〟〝漫画〟で検索して
――」

するとその時だった。

「その子たち、ひとつどうですか？」

突然声をかけられて、三人は振りかえる。

見れば、歩道ぞいのコンビニの前で、なにかの配布キャンペーンをやっている。アイスのたくさん入った冷凍ボックスがおいてあるということは…………。

「もしかして、アイス配ってるのかな。行ってみようよ」

良を先頭に、三人はコンビニの前にかけていった。

冷凍ボックスに【なんと　無料!!】というポップが貼ってあるのを、めざとい良は見逃さなかった。

「無料って書いてある…………！」

良がつぶやくと、コンビニ店員の女性が、三人に微笑みかけた。

「そうなんです。ただいまキャンペーン中につき、お好きなアイスをひとつプレゼントし

てます」

「「「まじで!?」」」

三人はマンガのことをすっかり忘れて、冷凍ボックスのなかをのぞきこむ。

「え、うそ!!　これタダ!?」

と、良は思わず大きな声をあげてしまった。「無料」や「タダ」の単語に、ついつい興奮してしまうのだ。

マリカたちも目を輝かせている。

「わー。新発売のストロベリーチョコクランチだ」

「この、大ボリュームのパリパリチョコソフトって、めちゃウマらしいよ」

「どちらでもお好きなほうをどうぞ」

「「「やった〜!」」」

三人はそれぞれ好きなアイスを選び、店員から受けとった。

(ラッキー)

良が、袋からアイスをだそうとした時だった。

「あーっ！　いけないんだー」

クラスの男子三人組が、良たちを指さしてわめいている。

「買い食いしてら」

「先生に言いつけてやるー」

（うるさいなー）

こういう時、頭の回転が速い良は、即座に強力な言い訳を思いつくのだった。屁理屈がうまいのだ。

「バ〜カ。これ無料だから問題ないんです〜」

「な、なんだとー」

「だって買ってないから、買い食いじゃないでしょ？」

「ぐぬぬ…………」

男子たちは言いかえすことができず、くやしそうに逃げていってしまった。

マリカと鈴奈は、目をキラキラさせて良をみつめた。

「良ちゃん、すご〜い！」

「良ってホントたよりになる！」

「そう？　もっとほめてもいいよ？」

良はふっふっふと高らかに笑った。

「にしても、アイスがタダなんて、まじでラッキーだよね」

予想外の邪魔が入ってしまい、どうなることかと思ったが、三人はやっと袋を開け、ひと口かじる。

「超ウマ！」

「だよね！」

「この時間にここ通ってよかったね」

大満足して笑いあった。

（そういえば最近………）

まわりを見ると、「無料」という文字がいたるところで発見できる。

コンビニのとなりにあるクリーニング店には【期間限定　無料！】。

道路のむこうのファストフード店には【サービスデー　ドリンク０円】。

その三軒となりにある小さな映画館には【本日　0円】とある。

（てゆーか、あそこもそこも。タダのもの増えてきた？）

少し前までは、これほど無料サービスを提供するお店はなかったはず。

（ほらね）

と、良は得意顔になり、甘くて冷たいアイスをなめる。

（やっぱみんなも、ムダなものは買いたくないんだよ。私みたいに）

とけてしまう前にアイスを食べおえ、マリカたちと別れた良は、大通りを歩きながらいろいろなお店に注目してみた。

（わあ、あのドラッグストア。【ワゴンのなか、全部無料】だって。日焼けどめとか、ポーチとか、リップクリームも入ってる。すごい）

（このお花屋さん、あの三段目にあるお花は、どれもタダなんだ）

（チケットショップもだ。無料の商品券だって。商品券って、どのお店でも使えるのかな？）

いろいろなお店を見ているうちに、なんだか誇らしくなってきた。

こんなに「無料」が流行る前から、良は「無料」のよさに気づいていたのだ。

(やっと時代が私に追いついてきたか〜!!)

良は歩道の真ん中に立ち、おおいばりでうんうんとうなずいた。


世の中には「無料」のサービスがますます増えていった。

たとえば――――。

ある土曜日のランチタイムに、良の家族はめずらしく三人そろってレストランに行った。

「たまにはみんなでランチにでも行こう」

そう言いだしたのは父親だ。

「ゆうべは早く帰ってこられたからな」

「パパ、知ってる？　学校に行く途中に、ランチ無料のレストランがあるんだよ」

「ランチ無料？　ずいぶん太っ腹だな」

「外にメニューが貼ってあったけど、全部おいしそうだった〜」

「じゃあ、そこにしようか」

良がおすすめしたレストランは、新作メニューにかぎってランチが無料。

とはいえ、新作だけでも何種類もあるし、どのメニューもボリュームたっぷり。十分満足できる内容だ。

三人が注文したステーキセットは、スープとサラダ、ドリンクにデザートまでついていて、味も申し分ない。お店のインテリアもオシャレで、雰囲気がとてもよかった。

「このタダごはん、おいしいね」

朝からワクワクしていた良は、おいしいステーキを食べて、さらに上機嫌だ。

ところが、母親は心配そうに言う。

「……大丈夫なのかしら。お店のほうは」

「えー。もうかってるから、タダにしてくれたんでしょ？」

「うーん。それはどうかしら……」

しかし母親はすぐに気をとりなおし、良と父親に笑顔をむけた。

「そんなことより、こうして三人でごはん食べるの、ひさしぶりね」

父親は、両手を胸の前で合わせ、申し訳なさそうにまゆじりをさげる。

「ごめんなぁ。パパ、あんまりかまってやれなくて」

（えっ…………）

良はおどろいてしまった。父親にそんなふうに言われるとは思ってもみなかったのだ。

本当は良だってかまってほしいし、毎日おしゃべりをしたかった。でももう六年生だ。

わがままを言って甘えるのは、かっこ悪いような気がしていた。

それに、面とむかってあやまられると、てれてしまう。

良は強がってこたえた。

「別にっ。ゲームとかアニメで十分楽しいもんっ」

「ははは。てれてるー」

と、母親が良のおでこをつっつく。良が強がっていることは、母親にはバレバレだった。

「てれてないよっ」

「顔、赤くしちゃって」

「赤くないっ！」

そうして、良たちが楽しい時間をすごしているころ。

ごめんなぁ
パパあんまり
かまってやれなくて
・・・
別(べつ)にっ
ゲームとか
アニメで充分(じゅうぶん)
楽(たの)しいもんっ
ははは
てれてるー

テレビでは、あるニュースが放送されていたのだった。

『相次ぐ無料化により、倒産する会社が増加したことを受け、政府は財政を立てなおす案として――』

二か月後。

鈴奈が良を誘う。

「そうだ、良ちゃん。学校終わったら、またタダアイス食べに行かない？」

マリカが「私も行きたいな」とのってくる。

良は得意げな表情で、ビシッとふたりを指さした。

「ふふふ♡　みんなもタダの生活を満喫してるね♡」

無料マンガについて教えたあと、ふたりは「『モテ×モテ』を二巻まで読めた」と言って、とても喜んでいた。他の無料マンガもたくさん読んだそうだ。

「やっぱり一度タダの楽しさを知っちゃうと、やめられないもんね！」

ところが、楽しそうなのは良だけで、鈴奈もマリカも浮かない顔をしている。

「てゆーか、おこづかい、めっちゃ減らされちゃってさ」

「うちも」

(ふーん。だからタダアイスか)

良はふたりの気分をもりあげようと、いつも以上に元気に言う。

「じゃあ、一度家に帰ったら集合して、コンビニに行こう！」

「よかった〜。良ちゃんがいると、なにかと心強いもんね」

「楽しみだね！」

(今日は一か月分のおこづかいがもらえる日。アイスはタダだし、他にもお菓子買っちゃおうかな………)

授業の間、うきうきとそんなことを考えながらすごし、良は家に帰った。

「ママ、今日はおこづかいの日だよね」

「そうだったわ。ちょっと待ってて」

母親のパートの仕事は、ここのところ一日おきになった。「業務の縮小」とかいうむずかしい理由で、シフトを減らされてしまったそうだ。

「はい。今月分」

と、母親が財布からとりだしたのは、なんと百円玉一枚だけ。

「え？」

冗談かと思ったが、母親は大まじめだ。

「今月分は、百円よ」

「えっ…………え!?　千円じゃないの？　先月まで千円だったじゃん！」

「ごめんね。ちょっといろいろきついのよ。これで我慢してね」

母親は、途方に暮れた顔で「節約しなくちゃ」とあちこちのコンセントを抜きながら、奥の部屋へ行ってしまった。

ショックだった。頬のあたりがピクピクとひきつる。

「そんなバカな。お金なんて、いまかからないでしょ」

無料のマンガ。

無料のアイス。

無料のランチ。

化粧品もお花も、さがせばなんだって無料で手に入る。

(こんなにタダであふれてるのに)

ぜんぜん納得いかないけれど、仕方がない。

良は百円しか増えなかった財布を持って、コンビニにむかった。

(この百円玉ショックは、おいしいアイスを食べて解消するしかない!)


コンビニに行った良たちは、三人ならんで冷凍ケースをのぞきこむ。

「どのアイスにする?」

「私、ブラットサンダーチョコアイスにしよっかな」

「私はこの間と同じ、ストロベリーチョコクランチにするね」

あれこれ悩んだあと、好きなアイスをひとつずつ持ってレジに行く。

女性店員は、良がだしたアイスのバーコードにリーダーをあてて、にこやかに言った。

「ひとつ二百円になります」

「「えっ！」」

良もマリカも鈴奈も、おどろいて思わず声をあげてしまった。

冷凍ケースに貼ってあるポップには【アイス無料】とはっきり書いてあるのに、そんなのおかしい。

「え!?　タダじゃないの？　書いてあるよー」

(だって、これじゃ詐欺と同じじゃん！)

良が抗議すると、店員は当たり前のようにかえす。

「アイスは無料なんですけど、冷凍代です」

「は？」

「冷凍庫のなかでキンキンに冷やしていた分の、冷凍代です」

「はぁ!?」

「当店では二週間前からそのようにしています。最近のニュース、ごぞんじですよね？」

「ニュース？」

良は反論できなくなってしまった。言われたとおりに財布のなかから百円玉を二枚とりだし、レジ台におく。

(今月のおこづかい、あっという間になくなっちゃった………)

世の中全体が、なんとなく暮らしにくい雰囲気になってきている。

良たちはみんな、じわじわとそれを感じていた。


その週末、母親とふたりで、前にステーキを食べたレストランに行った時も。

食事を終えてレジに行くと、店員がさわやかに言った。

「申し訳ございません。席料として三千円いただきます」

「うそ!」

良はまたしても大きな声をあげてしまった。

以前、父親と三人で食べた時は無料だったはずだ。それに、メニューにも堂々と「無料」の文字があった。

「でも、無料って書いてありましたけど………」

母親が遠慮がちに言うと、店員がかえす。

「お料理は無料なのですが、他のモノにお値段がつきますので」

「…………た、たとえば？」

良がおそるおそるたずねると、店員は丁寧にこたえた。

「お料理を運ぶ際の運び料として、おひとり様五百円いただきます。また、食器を清潔にたもつための洗浄料に、おひとり様百円を」

良はぼうぜんとした。

これでは料理代を払うほうがよっぽど安いではないか。

（なにこれ…………）

母親がしぶしぶお金を払い、ふたりはレストランをあとにした。

「なんなの!?　そのうち、〝店内に音楽を流す料〟とか〝室内を心地よい温度にしておく料〟とか言いだすんじゃない？」

「仕方がないわよ。いまの世の中は、なんでもそういう方針なんだから」

「方針？」

「そうよ。ニュースでさんざん言ってるでしょ。でも、サービス料がこんなに高額になる

はあ!?
申し訳ございません
席料として3千円頂きます
お料理は無料なのですが
他のモノにお値段がつきますので
運び料として5百円頂きます
何これ…
何で!?

とは思わなかったわ」

母親がため息をつく。

(なんで!?)

ついこの間まで、いろいろなものがタダだったのに。

そのおかげで、お得な生活ができていたのに。

いまはちっともお得じゃない。それどころか。

(なんか、前よりお金がない気がする……………)


学校の友だちも、みんな同じようなことを感じているようだった。

お昼休みの教室にいると、こんな話がちらほらと耳に入ってくる。

「誕生日プレゼントにお願いしてたゲーム機、高いから他のにしろって」

「まじで？　でも、うちも最近、おこづかいが減ったんだよね」

「うちもだいぶ減ったよ。あとさ、セイラちゃんちっておそば屋じゃん？　もうすぐつぶれるみたいだよ。かわいそう」

「ユウマくんのお父さんの会社も、倒産したんだってさ」

「ユウマくん、私立の中学に行くって言ってたけど、学費とか大丈夫なのかな」

暗い話ばかりだった。

良はげんなりして、放課後になると家路を急いだ。

「ただいま……」

(前よりもお金がないって、みんなもやっぱり思ってるんだ)

良の財布も、いまはからっぽだった。百円も入っていない。

ランドセルを部屋においてリビングルームに行き、ソファに体を投げだす。

「はぁ。なんだか疲れたなあ」

以前ならこういう暇な時間に、タブレット端末で無料マンガを読んだり、無料動画を見たりしたけれど、いまは無料サービスがほとんどない。

「SNSも有料だもんな」

だから、タブレットを見ることもやめてしまった。

「テレビでも観るか……」

テレビ放送は、かろうじてまだ無料だ。

リモコンでテレビをつける。

ふと視線を移すと、テレビ台の上に何通かの封筒がおいてあった。

「ん？」

立ちあがって手にとり、封筒に書かれている文字を読んだ。

「支払いの…………めいさい？　せいきゅう？」

大事な書類なのに、こんなところにおいておいて大丈夫だろうか。

「ママー。テレビのところに請求書がおきっぱなしだよー」

母親がパートで勤めていたお店は、ついに閉店してしまった。だから毎日家にいるはずなのだが、返事がない。

「ベランダで音がしたから、洗濯物とりこんでるのかな」

良はぶつぶつと独り言を言いながら、封筒の中身をとりだす。

「うちはオール電化だし、ソーラーパネルを使ってるから、電気もガスも無料のはず。なんだろ…………」

なにげなく請求書を見た良は、絶句した。

信じられない「品名」が書かれていたのだ。

「太陽光……代？」

電気代でもガス代でもない。「太陽光代」だ。

太陽光は地球全体に降りそそぐ、いわば自然現象だ。

そんなものに、どうやって値段をつけるというのだろう。

「はぁ!?」

その時、テレビからニュースを読むアナウンサーの声が聞こえてきた。

『財政を立てなおす案として、これまで値段のついていなかったものに、新たに値段をつけるとともに、国民の生活にとって最低限必要なものにも値段をつけることを発表していますが――』

（最低限、必要なもの……!?）

封筒はもう一通あり、そちらも開いてみる。またしても請求書だった。

「…………うそでしょ」

【品　名】酸素代
【今月分合計】1２8２0円

良のおどろきは、だんだんと恐怖に変わっていった。

酸素は「生活にとって最低限必要なもの」にちがいない。

でも酸素が有料になると、お金のない人はどうなってしまうのだろう。

酸素を買うために、借金しなくてはいけないのだろうか。

「その借金もできなくなったら？　酸素をすえなくされちゃうの？　そんなことされたら死んじゃうじゃん！」

（こんなの絶対にありえない。きっとなにかのまちがいだ）

ちょうどその時、母親が洗濯物をかかえてやってきた。

「良、おかえりー」

良の顔はひきつっていた。

「ママ、なにこの請求書。ドッキリとか？」

「ああ、それね。大変な時代になったわよね」

母親は、さも当たり前だと言わんばかりに笑い、肩をすくめた。

「でも仕方ないわ。結局は、なにかにお金を払わないとだもんね」

「…………変だよ。そんなの…………」

「そう？」

「変だよ！」

良の手が、わなわなと震えだした。

持っていた請求書に、グシャッとしわが寄る。

太陽光や酸素が有料だということもおそろしいが、平気で笑っていられる母親もおそろしい。

（なんでフツーに笑ってるの？）

得体の知れない恐怖で、心臓の鼓動がドクンドクンと激しく鳴る。

「空気なんて、タダに決まってるじゃん！」

手のなかでグシャグシャになった請求書をつきだして、母親の前にかかげる。母親は、それを真剣に見もせず、良をなだめはじめた。

「あんまり興奮すると、ほら、支払いが多くなるから」

母親は「困った子ね」とこぼしながら洗濯物をソファの上におき、大あわてで部屋のすみへと小走りする。

壁に、見たこともないパネルが設置されていた。その前に立ち、母親はボタンをピッピッと押している。

「そ、それなんのパネル？　今朝はなかったよね、そんなの」

大きさは、ちょうどインターホンの室内モニターくらいで、液晶画面がついていた。

そこに表示されている折れ線グラフが、数秒ごとにパッ、パッと変わる。

よく見ると、パネルには「酸素メーター」と書かれていた。

「…………酸素メーターって、なに？」

「ああ、これね。政府が設置を推奨してるのよ」

「なにそれ。そんなの、いつつけたの!?」

良が呼吸をするたびに、メーターの数字があがっていく。

良の心臓は、さらに激しく動きはじめ、息も苦しくなってきた。

「良が学校に行っている間に業者が来て、つけていったの」

（ありえない、こんなの……………）

無料のものが増えたせいで、世の中にお金がまわらなくなった。

その結果、いままで当たり前に使えたものが、使えなくなってしまったのだ。

（だったら、前のほうがよかった。お金を払ってマンガを買ったり、アイスを食べたりしていた生活のほうが、ずっとよかった！）

良の呼吸が乱れる。

「メーターが……………」

酸素メーターの数字は、良が見ている間にも、どんどんあがっていった。

息をすえばすうほど、料金がはねあがってしまう――――そう考えただけで、よけいに呼吸が激しくなった。

次第に意識が遠くなり、良は思わず床にかがみこむ。

「…………はぁ…………はぁ…………」

（なに？　息が…………）

過呼吸だ。

「良、大丈夫？」

良の異変に気づいた母親が、かけ寄ってくる。

「良!?」

（苦し…………）

そう思った数秒後に、良は気を失ってしまった。


どのくらい時間がたったのだろう。

まぶたを開ける。

天井のライトが見えた。

請求書
太陽光代
¥12345
¥128

ここは家のリビングルームだ。

すぐに良は、自分がソファに寝かされていることに気づいた。

「大丈夫？」

母親が心配そうにのぞきこんでいる。そのとなりには、ワイシャツとネクタイ姿の父親もいた。

「びっくりしたよ。ママから電話もらって、あわてて帰ってきたんだ。病気じゃなくてよかった」

「ママ……パパ……」

良がつぶやくと、母親は良の頭をゆっくりとなでた。

「たくさん呼吸したから、苦しくなっちゃったのね」

（呼吸……）

酸素にも料金がかかる――それを知らされた良は、恐怖のあまり過呼吸になってしまったのだ。

（そうだ、メーター！）

良はがばっと起きあがり、あわてて壁のほうに視線をむけた。

（ない………）

酸素メーターは壁から消えていた。最初からそんなものはなかったようにも思えてくる。

（やっぱ夢だよね）

「………なんだ………そっかぁ………」

ほっとした良は、ようやく深呼吸をした。

緊張がとけ、またソファに横たわる。

そんな良を見て、両親は戸惑っている。娘が突然起きあがって壁をみつめたり、かと思えばほっとしたように横たわったりと、さっきから挙動不審だからだ。

「まだ具合が悪い？」

「ううん。大丈夫」

両親の顔を見ているうちに、良は温かい気持ちになった。

（………そっか。私、こうしてほしかったんだ。パパとママに、もっとかまってほしかったんだ）

良が流行の情報に飛びついたり、無料で手に入るサービスばかりさがしていたのは、本当はちょっとさびしかったからだった。

（もっといっしょにいてほしかったけど、六年生にもなってそんなこと言ったら、かっこ悪いなって思ってたし）

だから我慢して、なるべく甘えないようにしていた。

でも、思いきって伝えてみよう。

「パパ、ママ、もうちょっとここにいてくれる……？」

なんだか気はずかしかったが、これが正直な気持ち。

両親は顔を見あわせ、それからやさしく良に笑いかける。

「もちろんよ」

「パパもこれからは、もう少し仕事を減らしてもらうよ」

「本当に？」

「本当さ。パパたちにとって一番大事なのは、良なんだからね」

父親が良の肩に手をおき、母親が頭をそっとなでる。

良は満面の笑みを浮かべ、つぶやいた。

「よかった」

リビングルームのテレビには、午後のスポットニュースが映っている。

『最新ニュースです。国会は新しい法案として、〝サービスの対価はサービスを行った者に直接支払う〟という案を発表しました』


あれから五年。

良は高校生になり、地元の公立高校に通っていた。

すっかり成長したけれど、左右でふたつにむすんだおだんご頭は健在だ。

(この髪型、気に入ってるんだよね。ぼさぼさでもごまかせるから、美容室に行く回数を減らせるし)

部活動はせず、家に帰ってくるとすぐにアルバイトにでかけていく。

友だちもみんな似たような生活をしていた。

「良ーっ！」

自転車を押して家の門からでていく良に、玄関から母親が声をかける。

良は振りかえって、にこっと笑った。

「なに？」

「さっき帰ってきたばっかりなのに、早いわね。もうバイトに行くの？」

「うん。お金きびしいし、稼がなきゃ」

「まぁ、仕方ないわよね。こんな時代だもの」

母親は、なかばあきらめたような表情を浮かべると、良に一枚の紙を手渡した。

「じゃあ、今月の請求分、よろしくね」

それは良に対して発行された請求書だ。

【品　名】　親の愛情代
【今月分合計】　１５０００円

請求書
年 月 日発行
様
品名
親の愛情代
数量
1
金額
15,000
小計
15,000
今月分合計 ￥15,000也
支払い期限：毎月末日まで
あたり前だと思っていることにこそ
対価を支払いましょう

請求書を受けとり、良はうつろに微笑む。

「月末までにちゃんと払うね。じゃあ、いってきます」

自転車を走らせ、アルバイト先のレストランがある商店街へと急ぐ。

街のあちこちに、ローン会社や消費者金融会社の看板が立っていた。ここ数年で、そういう会社がおどろくほど増えた。

（お金を借りないと、太陽光代とか愛情代とか払えない人、いるもんね………）

良はまだ、借金をするほどではない。

そうならないように、必死に働いているのだ。

駅前の交差点で信号待ちをしている間、良は駅ビルのマルチビジョンをぼんやりながめた。ひっきりなしにニュースが流れている。

『当たり前だと思っていることにこそ、対価を支払いましょう』

映像のなかで、コメンテーターはカメラ目線で語っていた。

『人の愛情にこそ、私たちはお金を支払うべきなのです』

「だよね。当然だよ」

と、良はうなずいた。
こういう暮らしが何年もつづき、国民はみんな慣れてしまった。
なにかがおかしいと感じることもなくなった。
家族で無料ランチを食べた日のことは、遠い記憶のかなただ。
「仕方ないよね。結局は、なにかにお金を払わないとだもんね」
良はそうつぶやくと、青信号になった交差点を、自転車で走り抜けていった。

エピローグ

百三十四時間目の授業は、これで終わりです。
無料の情報や、無料の商品でも、かならず作っている人がいます。
マンガを描いている人。
工場でアイスを作っている人。
それを売る人。
レストランには、料理を作る人や接客をする人がいます。
みんなタダで働いているわけではありません。
それにもかかわらず無料ということは……もしかしてなにかウラがあるのかも？
「無料」に用心しなければならないのは、情報や商品だけではありませんよ。
みなさんも「無償の愛」という言葉を聞いたことがあるはず。

見かえりを求めない愛のことです。

でも、当たり前のものに値段がつく時代になれば、無償の愛なんてなくなります。

親の愛情にもお金が必要になってしまうかも。

よく言う「愛情の押し売り」も、本当の押し売りになりそうですね。

そんな時代にならないためにも、「無料」のものと「無償の愛」には十分に気をつけてくださいね。

絶叫学級

135時間目

自殺橋　前編

プロローグ

身の毛もよだつ話が大好きなみなさん、こんにちは。
百三十五時間目の授業をはじめましょう。
今回は、あの人が登場します。
そう、秋元楽。
高校生ながら、とても有能な霊媒師です。
楽のもとには、日々、いろいろな除霊の依頼が寄せられます。
火災事故のあった家、殺人事件が起きた場所。
そういった場所で発生する怪奇現象に、楽は立ちむかうのです。
ある日依頼されたのは、声や物音のする空き家の調査でした。
そこにいたものとは――。

見えないものが見え、聞こえない声が聞こえる楽。
彼は、いったいなにを目撃したのでしょう？
無事に霊をしずめることができるでしょうか？
それでは、楽の活躍をお楽しみください！
どんな恐怖に遭遇しても、決して
途中で席を立ってはいけませんよ。

その空き家からは、夜中になると、か細い少女の声が聞こえてくる。

さがして。
お願い。
さがして。

さびしそうに訴える、そんな声が――。

高校生の霊媒師・秋元楽は、タクシーにのり、依頼主のもとへむかっていた。

すらりとした体に身に着けているのは、スタンドカラーの黒いシャツと黒い細身のパンツ、黒い革靴。

両手には黒い革手袋をはめている。それは、今日のような蒸し暑い日でも、絶対にはずすことがない。

全身黒ずくめの服装とは逆に、楽の肌は透けるように白い。そして、涼しげな目もとが印象的な、整った顔立ちをしていた。

「イケメンだね、お客さん。モデルさんかなにか？」

タクシーの運転手は、バックミラーに映る楽をちらりと見やって、そう言った。

楽は愛想よく微笑む。

「はは。地方まわりの営業ですよ」

〝営業〟というのは、うそではない。でも、本当というわけでもなかった。

霊媒師の楽は、とある依頼を受けて、これから除霊をしに行くところだ。

「へえ。若いのに大変だね」

「いやいや、気楽なもんですよ」

「もうすぐ夜だけど、今日はこの町に泊まるのかい？」

「ええ」

タクシーが橋にさしかかった。片側一車線ずつの車道にくわえ、広い歩道のある橋だ。下には大きな川が流れている。このあたりは山に近いため、川の流れは速く、水深もありそうだった。

ゴォオオ………。

タイヤの音をひびかせて、車は橋の上をすべるように走っていく。

その時、ふとなにかの気配がして、楽は窓の外に目をやった。

どす黒い腕が見えた。橋の欄干をつかんでいる。

欄干につかまってぶらさがっているが、ひじから先が見えない。腕がついているはずの体も、真っ黒いかげになっていて見えなかった。

あきらかにこの世のものではない。

（………………）

そういったものを見慣れている楽は、気にもとめない。

運転手も異様な雰囲気を感じとったのか、ぶるっと体を震わせた。霊感のない人でも感じるほどに、ここの霊気は強いのだ。

「この橋、なんとなく気味悪いんだよね」

運転手がそう言う。

「なぜです？」

「じつはこの橋ね、自殺の名所なんだよ。つい先月も、女子高生が飛びおりてさ」

「こんな、のどかなところでですか？」

まわりは自然が豊かでのんびりしていて、怪異とは無縁そうな町だ。

「そうなんだよ。なーんか、呪われてんのかねぇ」

「へぇ……………」

楽はふたたび窓の外をながめた。ポツポツと雨が降りだしている。

タクシーは、橋のすぐそばの住宅地でとまった。

「着いたよ。傘は持ってるの？」

「はい。ありがとうございました」

「がんばれよ、兄ちゃん」

料金を支払い、タクシーをおりると、雨はいよいよ本降りになってきた。

(いやな天気だな………)

少し歩くと、一軒の家の門の前に、四十代ほどに見える夫婦が傘をさして立っているのが見えた。今日、楽に仕事を依頼したのはこの夫婦だろう。

「ご依頼主の金井さんですか?」

楽が近づいていくと、ふたりは目配せをしてこそこそと話す。

「おい………けっこう若いぞ。大丈夫なのか?」

「自治会長さんの知り合いの紹介だし、平気よ」

どうやらふたりは、もっと年配のベテラン霊媒師がやってくると思っていたようだ。

楽はまだ高校生だが、そのへんの霊能力者など足もとにも及ばないほどの力を持っている。そのことを、ふたりは知らないのだろう。

楽はやわらかく微笑んであいさつする。営業用のスマイルだ。

「霊媒師の秋元楽と申します。怪異の類は、すべて僕にまかせてください」

そして、ふっと真剣な表情を浮かべ、きっぱりと言いきった。

「かならず解決してみせます」

「そ、そうかい？」

「たのむわね………」

ふたりはおどおどとこたえる。楽の迫力に圧倒されたようだ。

（ん？）

誰かの視線を感じた楽が、ちらりと金井家を見る。

家の一階窓ぎわに、制服らしき白いブラウス姿の少女が立っていた。

（………この家の娘？）

中学生、いや高校生くらいだろうか。暗い目をした少女は、カーテンのすきまから楽たちの様子をうかがっていた。

しかし、楽と視線が合うと、あわててカーテンを閉めてしまう。

金井夫婦は、家のなかから娘がのぞいていたことには気づかず、依頼の説明をはじめた。

「となりの空き家なんですけど、夜中に人の声が聞こえるんです」

空き家には、沢城という家族が住んでいたのだという。

「沢城家は家族三人、全員亡くなっているんですよ」

「あれは七年前かな。当時十歳だった娘が、橋から飛びおり自殺してねえ。あとを追うように、両親も同じ場所で自殺……」

「近所では呪われた家って呼ばれているんです」

「だから買い手もつかなくて、こんなに荒れはててしまって……」

と、夫婦はまくしたてた。

楽は沢城の家をながめた。

立派なつくりの家だが、長い間人が住んでいないせいで、庭には雑草が生い茂っている。窓ガラスはところどころわれていて、外壁にもヒビが入っていた。

楽がたずねる。

「聞こえるのは、どんな声です?」

「それがね、〝さがして〟とか〝お願い〟とか、そりゃもう悲しそうな声で。やだ、思いだしちゃった」

金井の妻は、話しながらぶるっと体を震わせる。

「声だけじゃないの。誰もいないはずなのに、ガタガタって音がするのよ」

「うちの娘もすっかりおびえてしまってね」

「なにかが〝いる〟なら、早くお祓いをしてください。お願いします」

金井夫婦は頭をさげた。

「わかりました」

「たのみますね。これ、おとなりの鍵よ」

金井の妻が、家の鍵を渡す。

「おまかせください」

楽はそう言うと、沢城の家に入っていった。

「しゃれた家じゃないか。まあ、いまはひどいありさまだが」

一階のリビングルームの床には、われた窓ガラスが散乱していた。

ソファやテーブルなどの家具はそのままおいてあり、ほこりをかぶっている。

天井には豪華なシャンデリア。壁に飾られた絵画。レンガづくりの暖炉もある。

趣味のいいインテリアでそろえた家だったのだろうが、荒れはてたいまは、さながら洋風のホーンテッドハウスだ。

足もとを見ると、額に入った家族写真が落ちていた。

「これが当時十歳の娘か。橋から飛びおり自殺ね」

長い髪をふたつにむすび、シックなワンピースを着て、両親の間に立っている少女。大きな目が印象的だ。

このおとなしそうな少女が、自殺した娘だろう。

「あとを追うように、両親も同じ橋で自殺、か……」

品のいいスーツ姿の父親と、優雅な雰囲気の母親。

三人とも身なりがよく、幸せそうな微笑みを浮かべている。

「ずいぶん人気なんだな、あの橋は」

とわざとらしく大きな声で言い、楽はにやりと笑った。

おしゃべりの元は　お前か？

誰かが、自分を見おろしている。その気配を感じたのだ。

「………それで」

ゆっくりと、楽は天井を見あげた。

「おしゃべりのもとは、おまえか？」

そこにいたのは、髪をふたつにむすんだ少女。沢城家の娘にまちがいない。

体はふわふわと空中に浮き、ふつうの人間ではないことがひと目でわかる。

霊体だ。

少女は浮いたまま、すうっとおりてくると、楽の目線の高さでとまった。

「い………イケメン!!」

少女の霊体は、両手で口もとを押さえ、ぱっと頬を染めた。霊のくせに意外とミーハーだ。あの家族写真のおとなしそうな雰囲気とは少しちがう。

「――――じゃなかった。あんた、私が見えるの!?　本当に!?」

ひとりで大騒ぎしている少女に、楽はちょっとひいていた。

そんな楽をよそに、少女はコホンと咳払いをしてかしこまると、勝手に自己紹介をはじめる。

「私、沢城棗っていうの」

握手をしようというつもりなのか、棗は手を差しだした。

霊体の棗は、家族写真のシックなワンピースとは別の、ふんわりした白いワンピースを着ている。

そのスカートのすそと、ふたつにむすんだ長い髪が、風もないのにゆらゆらとゆれた。

「あなた、友だちいなそうだし、私が友だちになってあげてもいいわよ♡」

「とっとと成仏しろ」

「えっ!?」

楽に冷たくつきはなされ、棗はまゆをつりあげた。

「な、なんで！　人がせっかく友だちになってあげるって言ってるのに！」

「……………………」

「はっ。あんた、霊能力者ってやつ!?　もしかして私のこと……………」

やっと楽の正体に気づいたようだ。棗は空中に浮いた状態で、するっとあとずさる。

「いや!!」

そう叫ぶと、棗は天井高くまで急上昇してシャンデリアの上にのり、つりさげコードにしがみついた。

「でってよ!」

「は?」

「でてって! 私、ここでパパとママを待ってるの! 勝手に死んじゃったこと、あやまらなきゃ……」

棗はシャンデリアにのったまま、泣きそうな顔でわめく。

「それまで絶対にどかないんだから!!」

楽はふっと視線を落とし、床に落ちたままになっている家族写真をみつめた。

「……」

写真のなかで、仲睦まじく微笑む親子。

棗は、この両親が死んだことを知っているのだろうか。霊体の彼女が、知らないはずはないだろう。知っているのに、見ないふりをしているのだ。

楽は棗を見あげた。

「両親に会えれば成仏するんだな？」

「………さがしてくれるの？」

「仕事だからな」

棗はようやく安心したようだ。しがみついていたつりさげコードをはなし、シャンデリアの上にちょこんと正座をした。

そんなことができるのは、棗が重さのない霊体だからだ。人間だったら、シャンデリアごと落下してしまうだろう。

「ありがとう。あんた………いいやつね」

そう言って微笑む棗は、まるで生きている人間のようだった。

橋の欄干にぶらさがっていた、あのどす黒い腕とはまるでちがう。

「あんた、名前は？」

「消えるやつに言っても意味ないだろ」

楽は静かにそう言うと、リビングルームをでていった。

それから一時間ほどたつころには、夜がおとずれるとともに、雨もあがった。

楽はあの橋の上で電話をしていた。

通話の相手は、〝神さま〟だ。

といっても、いまはある女性の体を借りて、この世に存在している。楽が子どものころに出会って以来、ずっとその姿のまま、神さまは彼につきまとっていた。

『その両親をさがすつもりなの？』

神さまが言う。彼女もいま、〝営業〟の真っ最中だ。

肩にとどく長さのストレートヘアに、やさしげな顔だち。服装はミニスカートに、体の線がでるノースリーブのブラウス。楽よりぐっと大人っぽい。

楽とふたりで歩いていると、美人の姉とイケメンの弟といった感じだった。

『でも、成仏してるかもしれないんでしょう？』

「どうだろうな」

『成仏してるかもなのに、さがしてあげるなんて。楽ってやさしいわね～』

彼女はいつもこんなふうに話す。陽気でちょっとわがまま。しかし、霊力が強く、神のなかでも別格の存在なのだ。

「俺がこういうやり方しかできないの、知ってるだろ」

楽は、依頼主の前では「僕」を使うが、ふだんは「俺」だ。

『そうだっけ？』

「それより、そっちは終わったのか？」

『ええ。とっくに』

彼女は、ほがらかに笑った。

神さまはいま、別の場所で除霊の仕事をしていた。呪いの人形をやぐらの火にくべて、お焚きあげをしているところだ。

『でも、〝アレ〟につながる情報はなかったわ』

楽は、あるたのみごとをしていた。

人さがしだ。

『…………ねぇ、楽。これだけさがしてもみつからないってことは、もういないんじゃやないの？』

「いや、いるさ」

黒手袋をした楽の手に、一枚の写真がにぎられていた。

セーラー服を着た、髪の長い少女の写真。

この少女によく似た、しかし下半身のない霊体を、楽は見たことがあった。

それは「黄泉様」と呼ばれていた。

猫のような目をした、正体不明の霊体――。

「いる。俺がみつける」

楽は、少女の写真をみつめ、力強く言った。

『……………そうね。ふふ』

「なにがおかしい」

『だって、かっこいいじゃない。〝俺がみつける〟なんて』

「は？」

『キュンとしちゃったわ♡　私もそっちに行こうかし――』

ブツッ。

神さまが話している途中だったが、楽はようしゃなく通話を切った。クールな楽をからかってくるから、いちいち相手をしていると疲れるのだ。

「ふう………」

ため息をついて、楽は遠くを見やった。橋のライトや川岸の街灯が、川面をキラキラと照らしている。

(さて、問題の両親をみつけるか。この橋で死んだはずだが………)

ふと振りかえると、車道をはさんだむこうの歩道に、セーラー服を着た少女が立っていた。

長い髪が顔をおおい、両腕をだらりとたらし、いつまでもその場から動かない。

その時、車が一台、音をたてて走ってきた。

ゴオオ………。

車が通りすぎると、少女の姿が消えている。

(やっぱりそうか)

幽霊だ。

「おまえたちに用はないよ」

そう言った時にはもう、楽は、まわりを数体の霊にとりかこまれていた。

制服を着た者、パーカとジーンズ姿の者、学校のジャージを着た者。なぜか若者ばかりだ。さっき反対側の歩道にいたセーラー服の少女の霊もまじっている。

みんなどす黒く変色した体で、ふらふらと楽に近づいてきた。

けれど楽は、少しも動じていなかった。彼にとってはよくあることなのだ。

「自分でこの橋から飛びおりたくせに、まさか後悔でもしてるのか？」

楽のおちついた声が、夜の橋にひびく。

すると、少女の霊が、ぐわっと目を見開き、口を開けた。

他の霊も一斉に口を開ける。

ミツ…………ケテ
ワタシハ…………ボクハ…………

コロ……サレタ
コノハシ……デ……

「ころされた……？」

そう言った瞬間、霊たちは煙のようにシュルッと消えた。

（どういうことだ？）

この橋から落ちて死んだ者は、みんな自殺者だと聞いている。そうでないのだとしたら、いったい誰にころされたというのだろう？

（棗の両親の霊をさがすはずだったが……。もしかしたら、これはやっかいなことになるかもしれない）

楽は一晩中、橋の上にたたずみ、棗の両親が現れるのを待った。

しかし、それらしき霊はいっこうに現れなかったのだ。

（なぜでてこない。もう成仏したのか？）

朝日が昇るころ、楽はあきらめて沢城の家に戻ることにした。

（それとも…………）

あずかっていた鍵で玄関のドアを開ける。すると。

「パパ！　ママ！」

いきなり棗が飛びだしてきた。霊体らしからぬ元気さだ。

「なーんだ。あんたか。がっかりだわ」

あからさまに残念そうにされ、楽はむっとした。

「なぜおまえにがっかりされなきゃいけない」

「まあいいわ。ねえ、ちょっと来てよ！」

棗は楽しそうにふわふわと宙に浮いて、楽を先導する。

（なんだってこいつは、常にこんなにはしゃいでいるんだ）

あきれつつも、だまってついていく。

リビングルームに行くと、テーブルの上に、ゆうべはなかったティーセットが用意してあった。

カップは三つ。しかしカップもポットもほこりで汚れていた。持ち手がとれていたり、われて欠けていたりするものもある。

「見て見て、いいでしょ、これ。帰ってきたらみんなで飲むの」

棗はするりと飛んで移動した。

「パパもママも、紅茶好きなんだ。きっと喜ぶわ。私は飲めないけどね」

楽はその様子を、冷めた瞳でじっとみつめる。

「とっくに気づいてるんだろう。ふたりはもう死んでいるんだ」

「…………………」

はしゃいでいた棗は、ぴたりと動きをとめた。楽に背をむけてうつむく。

「……悪いが、俺は死者に気をつかう性格じゃなくてね」

棗は言葉もなくうなだれていたが、気をとりなおしたのか、小さくうなずいた。

「うん……そうだよね」

さびしげな声でつぶやく。

「ずっと帰ってこないの、変だと思ってたのよね。うん、そっか………。でも………

でもね………」

そう言うと、棗は楽のほうへ振りかえった。

「死んだのなら、家で待ってなくてもいいわけよね？」

「まあ、そうだな」

「だったら、これからいくらでも外へさがしにでられるわ」

「すでに成仏して、ここにはいないかもしれないんだぞ」

「それでもみつかるまでさがす」

棗が、晴れやかに微笑む。

「パパとママに会うって、私が決めたんだもん。何十年かかってでもさがしだすわ」

やはり、橋で出会った他の霊とは少しちがう。

これだけ生き生きしているのは、棗に「パパとママをさがす」という強い意志があるからなのかもしれなかった。

「私、決めたことはやらなきゃ気がすまない性格なの」

瞳をキラキラと輝かせる棗を見て、楽は思わず噴きだしてしまった。

「死んでるのに、変なやつ」

そうしたいのなら、思うがままにやらせてやろうと、楽は思った。

「いいんじゃない」

いまの素直な気持ちをそのまま口にすると、棗はてれたように顔を赤らめた。

「でも、とっとと成仏してくれないとこまるぞ。報酬がもらえないからな」

「はい!?」

「俺はそのためにここに来たんだ」

「やなやつっ！」

と、その時だった。開けはなしてあったリビングルームのドアをノックする音が聞こえた。

楽が振りかえると、昨日、金井家の窓からのぞいていた、あの少女が立っている。

「あの………すみません」

とたんに楽は、無愛想な様子とはうってかわった営業スマイルになった。

「どうしました？」

「これ、母からさしいれなんですけど」

少女はランチボックスの入った袋をかかえていた。そっと部屋のなかに入ってきて、さしいれを手渡す。

「いいんですか。ありがとうございます」

ランチボックスを開けると、手作りのいなり寿司と巻き寿司がつめてある。

「すごくおいしそうだなー」

「猫かぶってる…………」

楽の横で棗がそう言ったが、もちろん金井家の少女には声も聞こえないし、姿も見えていない。

棗は少女をじっとみつめると、突然ぱっと顔を輝かせた。

「……結夏？　結夏でしょ？」

どうやらふたりは顔見知りのようだ。

（そうか。棗が生きていれば十七歳。隣人の娘と顔見知りでもおかしくない）

この少女の名前は、金井結夏というらしい。

棗の声が聞こえない結夏は、暗い表情をしてうつむいている。人見知りなのか、それとも楽を警戒しているのか、楽と視線を合わせようとしない。

棗はおおはしゃぎで、結夏に話しかけつづけた。

「わーっ、ひさしぶりじゃない！　背、のびたわね。昔は私のほうが高かったのに」

やはり棗と結夏は同じ年齢なのだろう。棗は十歳で死んでしまったが、結夏はそのまま成長して、いまの年齢になったのだ。

（ということは、十七歳か）

しかも、この口ぶりでは、ふたりはそうとう仲がよかったようだ。

「もう学校でいじめられたりしてないでしょーね。あんた、私がいないとすぐ泣くんだから」

しかし、棗の声はとどかない。結夏はぺこりとお辞儀をした。

「じゃあ、失礼します」

「……………そ、そうだよね。私のこと、見えないもんね」

棗がさびしそうに微笑み、部屋からでていく結夏をただ見守っている。霊体の棗は、そうすることしかできないのだ。

その様子をちらりと見た楽は、またさわやかな笑顔を作り、結夏を呼びとめた。

「結夏さん。沢城棗さんを覚えてますか？」

「…………え？」

結夏がいぶかしげに振りかえった。

「いや、その、棗さんという子、ここに住んでたんですよね？　だから情報として教えてもらえると助かります」

「はい…………」

結夏はためらいがちにこたえた。

「……棗ちゃんは、小学校の同級生だったんですけど、かわいくて、しっかり者で、なんでもできて——みんなのあこがれでした」

棗が、うんうんとうなずいている。

（ずいぶん得意げだな）

楽は内心あきれていたが、声にだしてつっこむわけにもいかない。

結夏さん
沢城棗さんを覚えてますか？
………え？
いや…ここに住んでたんですよね？情報として教えてもらえると助かります
……はい…

「…………私にとっても、あこがれでした」

きっと昔を思いだしているのだろう。結夏がわずかに微笑む。

棗もうれしそうに顔を赤らめた。

「も～、結夏ってば～」

「でも、四年生になって、棗ちゃん、毎日塾に行くようになって、誰とも遊ばなくなって」

「えっ…………？」

それまでデレデレと笑っていた棗の表情が、とたんにこわばる。

「クラスで孤立してました。たぶんそれで思いつめて、あの橋から…………それで、棗ちゃんのパパたちが…………」

そこまで言うと、結夏は突然、言葉を切った。

「も、もういいですか？　学校に遅れるので」

「うん。どうもありがとう」

「それじゃあ」

結夏は最後まで楽をまともに見ようとせず、おびえるように帰っていった。

「……なに言ってるの？」

棗がぼうぜんとしている。結夏の語った思い出話に、なにか腑に落ちない点でもあるのだろうか。

「どうした？」

「私……孤立……なんて、してない」

突然、棗の瞳が焦点を失い、ふらふらとさまよいだした。

「あれ……私……私……？」

ひどく混乱しているようだった。頭をかかえ、ぶつぶつとつぶやきはじめる。

「毎日、いやで……」

パリン！

大きな音をたてて、棚の花瓶がわれた。

「いやで……いやで……」

パリン！

パリン！

ティーカップやソーサーが宙を飛び、壁にあたってわれる。

「………私………なんで橋から飛びおりたんだっけ………」

楽が持っていたランチボックスが、なにかにはじかれたように落ち、なかに入っていた寿司が床にちらばった。

これはいわゆる、ポルターガイスト現象。棗が発生させているにちがいない。

「おちつけ、棗」

その声は、棗の耳にとどいていないようだった。棗は苦しそうに頭をかかえたまま、宙に浮きあがっている。

するどいガラス片が楽にむかって飛んできた。とっさにしゃがんでよける。

「おいっ！」

ひときわ大きな声で楽が叫ぶと、ポルターガイスト現象は唐突にとまった。

と同時に、棗の姿も見えなくなる。

「消えた………」

楽の腕に傷ができ、血がにじんでいる。かすめたガラス片に切られたのだ。左頬もズキズキ痛む。さわると出血していたが、この程度ならすぐにとまるだろう。

（さっきの話が本当なら――棗の両親は、彼女が自殺したのは友人関係が原因だと、そう思ったはずだ）

あの家族写真の様子から推測するに、両親は棗を大切に育てていたようだ。そんな両親が、いじめや孤立が自殺の原因だと知ったら。

（だとしたら、まずい…………）

楽はあわてて立ちあがると、となりの金井家にむかった。

「あら、秋元さん。調査は？」

突然現れた楽に、結夏の母親はおどろいている。

「結夏さんの小学校時代のアルバムを、見せていただけませんか」

「小学校のアルバム？　ええ、いいですけど。とりあえずあがってください」

母親は楽をリビングルームにとおし、「結夏にはないしょよ〜」と言いながら、アルバムをだしてきてくれた。

ページをめくっていく。

四年二組のページに、棗と結夏の個人写真があった。七年前の結夏はいまよりずっと幼いが、棗はあの霊体そのままだ。

他の個人写真もたしかめていった楽は、はっと息をのんだ。

(この子は…………!)

見覚えがある。ゆうべ、あの橋で楽をとりかこんだ幽霊のなかのひとりだ。見るも無残な姿になっていたが、面影があった。

(この子も、それからこの子も)

「全員、棗の同級生だ」

あの橋で見た幽霊は全員、かつて四年二組に在籍していたのだった。

セーラー服を着た髪の長い少女。パーカとジーンズ姿の少年。学校のジャージを着た少女。服装こそちがうが、同一人物だった。

「棗の両親は、やっぱりあの橋にいる」

それなのに、昨日はなぜ楽の前に現れなかったのだろう。

(そうか。俺は無関係だったからでてこなかったのか。現れるのは、四年二組だった人間の前だけなんだ)

棗の両親がターゲットにしているのは、棗の友人だけ。

(ということは、結夏があぶないんじゃないか…………!?)

楽は振りかえった。

「結夏さんはどちらに？」

「秋元さんにさしいれを渡したら、そのまま学校に行くって言ってましたけど」

「アルバム、ありがとうございました」

「あ、お茶でも飲んでいって――」

ひきとめようとした結夏の母親に、営業スマイルで笑いかける。

そしてすぐに真顔に戻り、楽はいそいで金井の家をあとにした。

ちょうどそのころ、結夏はあの橋を渡っていた。

「あーあ。降ってきちゃった」

重苦しく雲におおわれた空から、ぽつぽつと雨が落ちてくる。

「橋を渡ればすぐ学校だし……」

傘を持っていない結夏は、頭に手をかざして走りだした。

ここは通学路だ。いつもならこの時間は小学生から高校生まで、いろいろな人が通るのに、なぜか今日は人気がない。おまけに、車さえ通らない。

(なんで誰もいないの?)

まるでここだけ別の世界になってしまったかのようだ。

その時、結夏の背後で誰かがささやいた。

オマエノセイダ

おどろいて立ちどまり、振りかえる。

しかし、誰もいない。

「誰…………？」

聞き覚えのある声だった。

棗の父親の声。

忘れもしない。七年前のある日、棗の両親が結夏の家にやってきて、大声でまくしたてたことがあった。

『娘はどうして飛びおりたの!?』

『クラスでなにかあったんでしょ!?』

ふたりはまゆをつりあげ、目は怒りでギラギラと鋭く光っていた。ふだんはおだやかで品のいい人たちだったから、結夏はおどろいたし、おそろしかった。

さっきの声は、あの時の、棗の父親の声だ。

結夏がふたたび走りだそうとすると、今度は耳のすぐ近くで声が聞こえた。

オマエノセイダ

いまの声はまぎれもなく、棗の母親のもの。

その直後、結夏の体は、目には見えない強い力でひっぱられた。

「えっ……!?」

そのまま橋の欄干の上に、ぐいっと持ちあげられる。

そして、悲鳴をあげる間もなく、橋からつき落とされた。

「あ……」

もうだめだ。落ちる。

そう思い、必死に手をのばした時だった。

黒手袋をした手が、結夏の片方の手首をパシッとつかむ。

橋の上には、楽が立っていた。

「た、助けて……秋元さん……」

結夏はもう片方の手ものばし、楽の手をつかもうともがいた。

「どうにかしてよ……！　あいつら、あいつらだよ！」

ところが楽は、冷たく言いはなった。

「悪いが、俺にそんな力はない」

「え!? なにそれ、そんな…………」

結夏が必死にもがく。

「俺は死者と対話するだけだ。だから、あんたも話せ。棗の両親に言うことがあるんじゃないのか」

「そ、そんなの…………」

つかまれた結夏の手は、いまにも抜けそうだった。

結夏の目に涙がにじんだ。

「…………っ、そんなつもりで言ったんじゃない…………」

しかし七年前、結夏は棗に、あることを言ったのだった。

「棗ちゃんがはなれていっちゃったから…………私…………」

それは、七年前のある日の夜。

十歳の結夏は、母親といっしょに家の近くを歩いていた。近くのスーパーに買い物に行き、帰ってきたところだった。

となりの家の前を通ると、窓のブラインドがあがっていて、なかの様子がよく見えた。

（棗ちゃんち、いつもおしゃれだな）

沢城家の三人は、高価そうなティーセットで、優雅にお茶を飲んでいた。

（明るいリビングルーム。すてきな家具。かっこいいお父さんと、美人のお母さん

……いいなあ……）

すると、母親がぽつりと言った。

『棗ちゃん、最近、遊んでくれなくなっちゃったね』

『うん。塾とか、忙しいみたい』

『あそこは家柄もいいし、もともと世界がちがう子だったのよ』

（――もともと世界がちがう子。いいなあ）

結夏はそれが、ただうらやましかった。それだけだった。

次の日は朝から雨が降っていた。

結夏と棗は傘をさし、いっしょに学校から帰ってきた。そして、ちょうどこの橋の上まで歩いてきた時だ。

『棗ちゃんも、サキちゃんのお誕生日会に誘われたでしょ？　行かないの？』

『行かない』

『どうして？　棗ちゃんも行くよって、言ってあげようか？』

『私は………』

せっかく招待されたのに、棗はためらっている。きっと自分たちとはかかわりたくないのだと思うと、結夏は悲しくなった。

『棗ちゃんはいいね。特別で』

『えっ？』

棗がショックを受けたような顔をする。結夏は気まずくなり、なにも言わずに走り去ってしまった。

棗が橋から飛びおりたのは、そのすぐあとだったらしい。

「あんなことで飛びおりるなんて」

楽に片手をつかまれた不安定な姿勢のまま、結夏は涙を流した。

「傷つけるつもりはなかったの。棗ちゃんのことがうらやましかっただけ」

子どもだった結夏は、あとさき考えずにその気持ちを口にしてしまった。

「ううっ……ごめんなさい……棗ちゃん……助けて、秋元さん」

その時だ。ぶらさがる結夏の体の下、その川面になにかが現れたのを、楽は見た。

ふたつの人影が飛びだし、結夏を見あげているのだ。

(ようやくおでましか)

どす黒い肌で、髑髏のような顔つきのこの男女の霊体は、まぎれもなく棗の両親だ。

血走った目玉をぎょろつかせ、口を不自然なくらい大きく開けている。まるで口を開けて獲物が落ちてくるのを待っているワニのようだ。

「助けてっ！」

結夏がひときわ大きな声で叫ぶ。

「悪いな」

楽が手をはなす。
結夏の体は、まっすぐ川に落ちていった。

135時間目

自殺橋 後編

暖かい部屋。
やさしいパパとママ。
棗が覚えているのは、両親と三人ならんでソファに座り、本を読んでいたこと。
『棗。本当にかしこい子。さすが、私たちの娘ね』
『おまえは特別な子だよ』
両親は棗に笑いかけ、しっかりと抱きしめてくれた。
『愛してる』
それなのに。それなのに――――。
私、どうして死んだんだっけ？

ドボン！

大きな音をたて、結夏は川に落下した。体がずぶずぶとしずんでいく。

水面にでようとするが、水がからみついて、思うように泳げない。いや、ちがう。

（だ、誰かがひっぱってる……!?）

結夏には、まるで何者かが自分の体にしがみついて、川底へひきこんでいるように思えた。

それは血走る目玉をぎょろぎょろさせた二体の霊――棗の両親だったが、霊感のない結夏には、霊の姿が見えていない。

（私、死ぬの……？）

そう思った時だった。人影が現れて、結夏を水面へとひっぱっていく。

（秋元さん？）

結夏を落としたはずの楽が助けに来たのだった。

楽は、結夏を川に落としたあと、自分もすぐに飛びこんだ。はじめからそうするつもりだった。棗の両親は、棗の元クラスメイトにしかとり憑かない。

（結夏には少々気の毒なことをしたが………）

霊を捕獲するため、おとりになってもらったのだった。

楽は結夏と二体の霊をつれて泳ぎ、川岸にあがる。

結夏がへたりこみ、ゲホゲホと咳きこむ。ずぶぬれになってしまったが、傷もなく無事なようだ。

楽もずぶぬれだったが、息もあがらず冷静だ。ぬれた髪をかきあげて霊に語りかけた。

「娘が家で待ってるぞ。早く帰ったらどうだ」

両親の霊はこたえず、ぼんやりと立ちつくしている。

二体の体はすでに変色してくずれかけているのに、父親はワイシャツにネクタイをしめ、母親はきちっとしたツーピースを身に着けている。

他の霊もそうなのだが、霊は生きていた時と同じ服装でいつづける。断ちきれない未練が表れているようで、ひどく哀れだった。

「沢城棗。おまえたちの娘の名前だろう」

その名を聞いた両親の霊は、ぴくりと反応した。口をぱくぱくと動かし、しぼりだすようなうなり声をあげる。

「ン…………メ…………メ…………」

「…………ナッ…………ツゥウ…………」

うなり声はだんだん大きくなり、やがて絶叫に変わっていった。

「ナツメナナナ、ナツ…………！」

「ナツメエエエエ!!」

楽が表情をゆがめる。

(この死者は、話が通じない…………！)

楽の除霊方法はいたってシンプルだ。

ひたすら死者と対話し、説得する。

だから、話の通じない死者というのが、最もやっかいだった。棗の両親は理性をなくしている。この状態から説得できるまでにもっていくのは、骨が折れる。

「ナ、ナナ、ナツメェ!!」

苦しそうに髪をかきむしっていた両親の霊は、突然、楽に襲いかかってきた。

「…………………!!」

二体の霊の手が、楽の首をつかもうとした瞬間。

「パパ！　ママ!!」

霊が我にかえり、動きをとめた。声のするほうにゆっくりと顔をむける。

橋の上に棗がいた。悲痛な面持ちで、変わりはてた両親をみつめている。

棗は氷の上をすべるようにすうっと移動すると、両親のもとへ近づいていく。

「パパ、ママ。やっと…………やっと見つけた！」

その声とともに、両親の様子は次第に変わっていった。

不自然に大きかった目と口が、人間らしいサイズになっていく。肌も生きていたころと同じ色に戻っていく。

見る見るうちに、二体の霊は、上品な美男美女だった生前の姿に戻った。

「棗か？」

ナツメ
エェエ
この死者は
話が通じない…！

「棗ちゃんなの？」

「そうだよ……」

棗は目に涙を浮かべ、ふたりの胸に飛びこんでいった。

両親は娘の体を抱きとめ、頬を涙でぬらす。

「棗！」

「パパ、ママ、ごめんね。私、死んじゃって」

七年間ずっとさがしつづけ、やっと会えた喜びが、棗の体からあふれていた。

しかし、その様子を川のなかから見ているかげがあった。

ぬれた頭が、水面からぼこぼこといくつか飛びだしている。

みんなこの橋から飛びおりて死んだ、元四年二組の若者たちだった。

彼らの霊は、頬から上だけを水面にだし、棗たちを恨めしそうに、にらんでいた。

楽は霊たちにむかって言う。

「あの親子に手をだすな。かわりに俺といっしょに来い。気がすむまで、恨みごとを聞いてやる」

霊は、一斉にぎょろりと目玉を動かし、楽を見あげる。

「取り引きだ」

その言葉に満足したのか、霊たちはみんな視線を正面に戻し、ちゃぷん、ちゃぷんと水面の下に消えていく。

「あ、秋元さん…………？」

青い顔で地面にしゃがんでいた結夏が、ふしぎそうにたずねた。霊が見えない結夏には、楽がひとりで話をしているようにしか映らないのだ。

「…………誰と話してるの？　さっきから」

「沢城棗」

「え？」

結夏はあたりを見まわしてみるが、どこにも棗などいない。

しかし、楽にはすべてが見えていた。親子三人が寄りそい、むせび泣いている様子が。

棗の母親が、娘の耳もとに顔を寄せ、うれしそうに語りかける。

「棗ちゃん、あのね」

「なあに、ママ」

「もう一度、××××××」

母親の口が動き、なにかをささやいた。

その言葉を聞いた瞬間、棗の目から光が消えた。

いったいなにをささやいたのだろう。楽の耳にまではとどかなかった。棗は困惑したような表情を浮かべ、立ちすくんでいる。

一方、棗と再会した両親の霊は、もう心残りがないのか、晴れやかに微笑んでいた。

「それじゃあね、棗ちゃん」

「棗、またな」

彼らはそう言うと、笑顔のまま楽の横を通りすぎていった。

(なにかひっかかるな……)

川に戻っていく霊を見ながら、楽は思った。両親の霊は、幸せそうな微笑みを浮かべ、ふたりならんで水のなかにしずんでいった。

ひとり残された棗は、川岸にたたずんでいた。

もう一度(いちど)
||
……

「いっしょに行かないのか？」

楽に背をむけ、どこか遠くをみつめている。

「…………行かない」

「どうして？」

「私、いま、思いだしたの」

棗は静かに言った。

「私、生きてる」

「………………!?」

予想外のひとことに、楽は言葉を失った。

棗の姿がフッと消える。楽は、おどろきながらも、冷静に推理する。

（おそらく事実を思いだして、霊体としての形をたもてなくなったんだ）

棗は死んでいない。どこかで生存している。

（いわゆる、生き霊）

棗の生き霊は、あまりにも違和感なくあの家にとり憑いていた。だから楽さえも、死霊とかんちがいしてしまったのだ。もちろん、棗本人が「自分は死んでいる」と思いこんでいたせいもあるだろう。

結夏が楽を見あげる。

「ねぇ、なにが起きてるのか教え——」

「結夏、近くで一番大きい病院はどこだ」

「病院？」

「そう。沢城棗は、そこにいる」

その二日後。

金井家の協力もあり、棗の居場所は、意外と早くつきとめることができた。

県立の総合病院。

そこに、七年前に自殺未遂をし、そのまま入院をつづけている患者がいるというのだ。

「棗ちゃん、本当にここに………？」

「どうだろうな」

楽と結夏は、案内された308号室の前に立っていた。しかし、その部屋のネームプレートには、「佐藤恵」と書いてある。

「名前がちがうけど、大丈夫なのかな」

ふたりは不審に思いながらも、病室に入っていった。すると。

「あ…………」

結夏は口もとを手でおおい、嗚咽がもれるのを必死にこらえた。

ベッドで眠っているのは、まちがいなく、十七歳の沢城棗だった。やつれてはいるが、十歳のころの面影が残っている。

「もう何年も、誰ひとり見舞いに来ていないそうだ」

(しかも、ネームプレートの名前はでたらめ。気になるな)

鼻に酸素のチューブをつけ、腕から点滴を入れている姿は、見ていて痛々しかった。

「七年も、ここでずっと眠りつづけてたのか」

「棗ちゃん…………」

結夏が名前を呼びかけると、棗の右手の人さし指がわずかに動いた。頬のあたりもぴくぴくと震えている。目を開けようとしているのだろうか。

「棗ちゃん！」

その声に反応するように、棗のまぶたがゆっくりと開いていく。

「結……夏……」

棗が消え入りそうな声をあげる。

結夏はあわてて棗の手をとり、ぎゅっとにぎりしめた。

「棗ちゃん、私のことわかるの？」

棗が弱々しくうなずくと、結夏はわっと泣きだした。

だまってふたりの様子をながめていた楽は、緊張がとけたように少し微笑むと、そっと病室をでていった。

(これでもう、あの空き家から声が聞こえることはない)

両親の霊とも話すことができたのだし、目を覚ました棗は、もう二度と生き霊になることはないだろう。

だが、まだ気になる点がある。

楽はナースステーションからでてきた看護師を呼びとめた。

「あの、すみません。３０８号室の患者さんのことをうかがいたいのですが」

「もしかして、お知り合いですか？」

「まあ、そんな感じです。あの患者さん、どうして名前を変えているんですか」

看護師は「それは個人情報なので、ちょっと」と言葉をにごして去っていく。

(当然か)

そう簡単に事がはこぶとは、楽も思ってはいない。

(この様子だと、病院関係の人間から聞きだすのは、まずむりだ)

他に事情を知っていそうな人をさがさなければならない。

金井家の人たちはなにも知らない様子だった。楽のことを紹介したという自治会長の知り合いも、詳細についてはさっぱりだと言っていた。

するとその時、ろうかを通りかかった老女が、背の高い楽を見あげる。

「あら。あんたイケメンさんね」

ただのひやかしかと思い、仏頂面でだまっていると、老女はにこにこと話をつづけた。

「知らないの？　有名な話よ」

「……………有名な話？」

「沢城のお嬢さんのことでしょう？　私、そのころからこの病院に通っていてね、よーく知ってるのよ」

「七年前のことを、ですか」

「そう。どうしてあのお嬢さんが名前を変えているか、教えてあげましょうか」

老女はくすくす笑った。

思いがけない幸運だ。楽は得意の営業スマイルを浮かべる。

「ぜひお願いします」

老女の話はのらりくらりとしていて、聞きおえるまでに十分ほどかかった。

「ありがとうございます。では僕はこれで――」

「あら、もう行っちゃうの？　もっとお話ししましょうよ」

「いえ、つづきはいずれ！」

ひきとめようとする老女を振りきって、楽は急ぎ足で308号室にむかっていた。

（いやな予感がする…………）

病室に入ると、ペットボトルを持った結夏が、ベッドのそばでぼうぜんと立ちつくしている。

「秋元さん、棗が！」

見ると、ベッドが空っぽだ。

棗が消えている！

「水を飲みたいって言うから、買いに行ったら…………」

目を覚ました棗は、あのあと結夏にこう言ったそうだ。

『私は大丈夫だよ。だからお医者さんや看護師さんは、まだ呼ばないでね。のどがかわいちゃった。水、買ってきてくれるかな』

そして、結夏が病室をはなれたほんの数分の間に、棗はいなくなったのだという。

（やっぱり）

楽の予感は的中してしまった。

病院を抜けだした棗は、おそらくある場所にむかっている。それは――。

「あの橋だ」


楽たちが橋に到着すると、すでにあたりは騒然としていた。

異変に気づいた近くの住民が少しずつ集まりはじめ、動転して話している。

「警察呼ぼうとしたんだけど、ここ電波が飛んでないの！」

「そんなはずないだろ。あれ、おかしいな。俺のスマホもダメだ」

なぜか、どの人のスマートフォンも圏外になってしまっている。ふだんは電波が飛んでいる場所なのに、奇妙だった。

あわててひとりが走りだした。

「俺、家に帰って電話してくるよ！」

楽と結夏が橋にたどり着いたのは、ちょうどその人が走り去った時だった。

橋の欄干に、うすいブルーの病衣を着た、はだしの少女が立っている。

「棗……………！」

「棗ちゃん！」

手入れされていない長い髪とブルーの病衣が、川からの風にはためいている。病院から抜けだしてきたことは、誰の目にも一目瞭然だった。

そんな姿で川面を見おろす棗は痛々しかった。いまにも一歩踏みだしてしまいそうだ。

「きみ！　あぶないからおりなさい！」

住民のひとりが叫ぶが、棗は無反応だ。

楽は鋭いまなざしで、棗ではなく、その周囲をにらみすえる。

（…………いる）

黒い人影が動いている。他の人々には見えないが、霊媒師の楽には見えるのだ。

「棗の両親が、いる」

彼女の両脇を支えるように、右側には母親が、左側には父親が立ち、幸せそうに笑っている。

両親の霊が見えたのと同時に、誰かの強烈な思念が、楽の頭に入ってきた。

（これは…………棗の思念？）

おととい、川岸で母親が棗にささやいた言葉が、楽の脳に流れこんでくる。

『もう一度、飛びおりなさい』

母親はそう言ったのだ。しかも、うれしそうに微笑みながら。

「なるほどね。すべての元凶は両親だったか」

楽は唇のはしをあげ、挑戦的に笑った。棗のいる場所までまっすぐに近づいていき、冷たく言いはなつ。

「そんな化け物の言うことを、なぜ聞く？」

欄干の上に立つ棗が振りむいた。それを見た人たちから「あぶない！」「動いちゃだめだ！」と悲鳴にも似た声があがる。

「よく見ろ」

棗のとなりには、父親と母親がいる。

棗の体に腕をまわし、抱きついていた。いや、抱きついているというよりも、絶対にはなすものかと、強くぎっちりしがみついている。

「自分のとなりにいるやつらのことを、よく見るんだ」

楽がまっすぐに見すえると、棗は静かに口を開いた。長い年月、ずっと眠りつづけていたせいで、唇は乾燥してひびわれている。

「………あんた、やっぱり意地悪ね」

棗は言った。

「なぜ言うことを聞くかって？　それは私のパパとママだからだよ」

楽は目をそらさず、棗をみつめつづける。

すると、また強烈な思念が流れこんできた。

それは、棗の過去の記憶。

父親と母親が、娘の名前を呼んでいる。

棗。

棗ちゃん。

おまえは特別な子だよ。

私たちの、特別な子ども。

だから——。

『近所の子なんかと遊ばないでって言ったでしょ！』

母親が、棗の縄跳びをとりあげ、その小さな体にむかって投げつけた。

それは結夏と公園で縄跳びをして、帰ってきた直後の出来事だった。母親が突然怒りだし、棗をどなったのだ。

時々、母親はこうして棗のことを痛めつける。おなかや背中など、服でかくれて見えないところをぶつ。

『レベルを落としたいの!?　あなたは特別なのよ!?』

『で、でも私、みんなと遊びたい……』

いっしょに遊べないせいで、クラスの話題にもついていけなくなってしまった。

みんなも、遊ぼうと誘ってくれなくなってしまった。

『なにを言ってるの？　だめよ。塾と習い事があるでしょう？』

『言うことを聞かない子には、おしおきをしなくちゃいけないね』

父親は、暗くて気味の悪い物置に棗を閉じこめた。

寒くても下着一枚で、靴下まで脱がされる。棗はガタガタ震えながら、泣いてあやまった。

『ごめんなさい。パパ、ママ、ごめんなさい』

誰もこたえてくれなかった。物置のおしおきは、何時間もつづくのだ。

『私を嫌いにならないで………』

でも。

ふたりはとてもやさしい時もある。

そういう時は、棗をぎゅっと抱きしめ、頭をなでながらささやいてくれる。

『あなたはママが痛い思いをして産んだの。愛してるのよ。棗』

『愛してるよ、棗。僕たちのかわいい娘』

パパもママも私を愛してくれている。悪いのは私。悪いのは私――――。

近所の子なんかと遊ばないでって言ったでしょ！
レベルを落としたいの!?
あなたは特別なのよ!?
ごめんなさい
え――ん…
え――ん…
パパ
ママ
嫌いにならないで…
あなたはママが痛い思いをして産んだの
愛してるのよ
棗

ある雨の日。いっしょに下校していた結夏が言った。
『棗ちゃんはいいね。特別で』
『えっ？』
棗はおどろいてしまった。特別のどこがいいのだろう。
(私が特別な子だから、ママとパパがなぐるのに)
結夏はくるりときびすをかえすと、走って行ってしまった。
『結夏………』
おいていかないで、結夏。もっとみんなと遊びたい。
(でも、特別だから、みんなと遊べない。特別だから――――特別だから――――)
家に帰ったら、またなぐられる。物置に閉じこめられる。
(いや………帰りたくないよ………帰ったらまた、またきっと………)
その時、両親の声が聞こえたような気がした。
『むかえに来たよ』
はっと振りかえる。が、誰もいない。

『ごめんなさい……ごめんなさい……』

混乱した棗は、欄干によじのぼり、空にむかって飛びだした。

さしていたピンク色の傘といっしょに、棗は川へと落ちていった。


偶然、橋を通りかかった人が通報し、棗はかろうじて一命をとりとめた。

しかし、呼吸をしているだけで、なんの反応も示さない。深く眠りつづけているような状態だった。

両親は、意識の戻らない娘にショックを受け、日に日にやつれていった。

『どうしてこんなことに……』

父親は病室に来るたびに、肩を落としてそう嘆いた。母親は痩せこけて顔つきも変わってしまった。目をぎょろぎょろさせ、恨みがましく言う。

『きっと学校のせいよ。クラスでなにかあったのよ!!』

『こんなの私たちの娘じゃない……沢城家の汚点だ……』

棗の様子を見に来た若い看護師は、それを聞いてぎょっとした。いくらなんでも、この患者がかわいそうだ。

『どうかそんなこと、言わないであげてください』

『うるさい！　おまえになにがわかる！』

びくっと身をちぢめた看護師に、父親は言いつのる。

『そうだ、看護師さん。名前を変えてくれ。ネームプレートの名前を変えるんだ。沢城家の人間だと知られたらこまる。誰にも言うなよ』

『そんな………』

『お金なら払いますから、秘密にしてちょうだい！』

しかし、すでに遅かった。自殺未遂事件のことはすっかり知れわたっていたのだ。

『ねえ、聞いた？』

と、うわさ好きな人たちが、こぞって話題にする。

『あそこの娘さん、自殺をはかったんですって』

『まあ〜。あんなに自慢してたのに』

『私もさんざん自慢されたわよ。うちの子は特別に優秀なのよ、って』

『でももうあれじゃあ、未来も見えないわね』

じつは、楽に「沢城棗が偽名を使っている理由」を教えてくれたあの老女も、そんな人たちのひとりだった。

うわさは当然、両親の耳にも入った。

『なぜだ。名前も変えたのに。まるで私たちが悪いみたいじゃないか』

『学校が悪いのに。クラスの子たちのせいなのに…………』

『もしかしたら、誰かに監視されているのかもしれない。どこかにかくしカメラが仕込まれているんじゃないか!?　どこだ!?』

『盗聴器もあるかもしれないわ！』

ふたりの言動は、だんだんと常軌を逸していった。

そしてある日。

『………あとからおまえも来なさい』

病院を訪れたふたりは、眠りつづける棗に言った。

『待ってるわ』

そして、橋から川へ飛びこんだのだった――――。

その忌まわしい橋の上で、いま、ふたたび棗が飛びおりようとしていた。

両親の霊につれられ、死者の国へ行こうとしている。

棗は楽に言う。

「ごめんね。みんなは悪くないのに。私が悪いのに」

すべてをあきらめきったような瞳をしている棗。生き霊の棗は、あんなに目を輝かせ、あんなに生き生きとしていたのに。

橋に集まっている近所の人たちも、どうにか思いとどまらせようと必死に声をかけている。

しかし棗は、聞く耳を持たなかった。

「私が死ねば、全部終わる」

おだやかにそう言うと、川のほうへむきなおり、右足を前にだそうとする。

その時だった。

「棗ちゃん、まちがってるよ！」

結夏の声がひびく。

棗がぴくりと反応した。あげかけた右足が、欄干に戻される。

「そんなことしないで、棗ちゃん」

それでも棗は振りむかなかった。

結夏の目に、見る見る涙がたまっていく。

七年間、結夏はずっと後悔していたのだ。棗に嫉妬し、心無いひとことで傷つけてしまったことを。

棗になにがあったのか、あのころの結夏は知らなかった。いまも知らない。

棗は塾や習い事に行くようになり、友だちからはなれていった――そのことしかわからない。それでも。

「なにがあったのか、私にはわからないけど…………でも、どうすればいいか、いっしょに考えようよ」

あんなに仲がよかったのに、ある日、公園でいっしょに縄跳び遊びをしたのを最後に、結夏とも遊んでくれなくなってしまった。

そんな棗を、みんなは遠巻きに見ているだけで、誰も助けようとはしなかった。

もっと棗の心に寄りそっていれば。

なにかあったの？　と話しかけていれば。

そうすれば、こんなことにはならなかったかもしれない――。

結夏は力いっぱい叫ぶ。

「私が助けるから。今度こそ助けるからっ…………!!」

すると、欄干の上に立つ棗が、こぶしをきゅっとにぎりしめた。気持ちがゆらいでいるのかもしれない。

楽もたたみかけていく。

「棗。おまえはもう小さな子どもじゃない」

棗の生き霊は、霊体とは思えないほど、明るくて楽しそうだった。あれはきっと、棗の願望そのものだったのだ。

自由に飛びまわりたい。

自分のやりたいことをしたい。

十七歳になったいまの棗なら、きっとそれができるはずだ。

「本当にしたいことは自分で決めろ、棗」

棗はふっと顔をあげた。

「……私……は……」

言いかけたところで、棗は突然、体を硬直させた。

棗に左右から抱きついていた両親の霊が、さらに強くしがみついてきたのだ。

そのうえ母親の手で視界をふさがれ、父親の手であごをきつく押さえられ、声もだせなくなってしまった。

二体の霊が、同時に体をかたむける。

その力にひっぱられ、棗の体は落下した。

橋に集まった人たちから、悲鳴があがる。

結夏も思わず叫んだ。

「棗っ!!」

楽が反射的に飛びだしていく。そして、いままさに落ちていく棗の手を、ガシッと力強くつかんだ。

「…………………!!」

ところが、霊の力は思った以上に強かった。助けに行った楽は、逆に棗の体にひっぱられ、欄干をのりこえてしまう。

(………くっ！　俺も落ちるのか!?)

とっさにあいている右手をのばして橋げたにつかまり、間一髪で落下を防いだ。

左手では、細い棗の手首をつかんでいる。その棗には、二体の霊がまだしがみついていた。

楽は棗を見おろして問いかける。

「………どうしたい？」

さすがの楽も、この状況は体力的にきつい。自分と棗の体重を、腕一本で支えているのだ。腕に力が入らなくなってくる。しかも、棗には霊体が二体も憑いているのだった。

すると、橋の上から、集まった人たちの声が聞こえてきた。

「大丈夫か！」

「もうすぐレスキューも来るからな！」

「いま、ひきあげるからがんばれ！」

橋の上から手をのばしたところで、橋の下にいる棗たちにはとどかない。それでもみんなは手をのばし、必死にはげましていた。

結夏も手をのばして叫ぶ。

「秋元さん！　棗ちゃん!!」

上を見あげていた棗の瞳に、結夏たちの姿が映った。

みんなの動きが、スローモーションの動画を見るように、ゆっくりとして見える。

「私は――」

棗が口を開いた。

「――ケーキが食べたい。結夏と縄跳びしたい。いろいろなところに行ってみたい」

子どものころに我慢させられていたこと。

禁止されていたこと。

眠っている七年間にできなかったこと。

全部やりたかった。

そして、なによりも――――。

「生きたいっ！」

棗は楽の手首をしっかりとにぎりなおす。

「私、生きたいよ!!」

涙が一気に流れだし、棗の頬をぬらしていく。

楽は棗にむかって小さくうなずくと、視線を水面に移した。

「おまえたち。取り引きは無しだ」

楽が話しかけたのは、水面から顔をだしているたくさんの霊たちだ。この橋から落とされて死んだ、棗のクラスメイトたちだった。

楽は彼らに「恨みごとを聞くから、かわりに親子に手をだすな」という取り引きをした。

しかしもうその約束は取り消しだ。救うべきなのは棗だけ。両親にはその価値がない。

「つれていけ！」

そう言うやいなや、それまでおだやかだった水面が、不自然なほどに波打った。

霊が一斉に飛びだし、沢城夫婦にしがみついたのだ。

どす黒く変色した死霊が、二体の死霊をひきちぎり、水のなかにひきこんでいく。

まるで共食いをするように。

ウオォォォォォ――――。
アァァァァァ――――。

そのうなり声とも地鳴りともつかない不気味な音は、橋の上にいる人々にもとどいた。

「なんの音だ？」

「地鳴り？」

「川の音じゃないか」

霊の見えない彼らは、水面でおそろしい光景がくりひろげられていることを知らない。

いや、知らないほうが幸せだろう。

トペン

やがて不気味な音も静まり、水面はふたたびおだやかになった。

楽の仕事は、これで完了だ。


それから三日後。

病院のリハビリルームには、棗と結夏の姿があった。

ふしぎなことに、棗は七年間も眠っていたにもかかわらず、体はそれほど衰えていなかったそうだ。

ただ、筋力は低下しているので、歩く訓練をしなければならなかった。

歩行訓練用の平行棒につかまり、棗はゆっくりと歩く。

長い髪をさっぱりとしたみつあみにし、額には汗が浮かんでいた。

「大丈夫？　少し休む？」

つきそいの結夏が心配そうにのぞきこむと、棗は笑って首を横に振った。

「大丈夫。このくらい………」

そう言ったそばから棗がつまずきそうになり、結夏があわてて手を貸す。

「あぶない！」

「……ありがと。私、この間、どうやって歩いたんだろうね？」

棗は、病院から橋までの記憶がなかった。気づいたら橋にいて、欄干の上に立っていたのだ。

「ははは。空でも飛んだんじゃないの？」

「飛べたらいいよね。そうしたら、どこにでも行けるよ」

ふたりは顔を見あわせ、楽しそうに笑う。

「棗ちゃん。退院したら、ふたりで旅行に行こうよ」

「うん！　早く歩けるようにならなくちゃ！」

棗はまた平行棒をにぎり、一歩、一歩と足を踏みだす。

そんな棗のもとに、顔見知りの作業療法士が、かわいらしい花束を持ってやってきた。

「これ、沢城さんに渡してくれって。例のイケメンさんからよ」

「わあ…………」

棗はキラキラと目を輝かせて、花束を受けとった。

ガーベラやスプレーバラ、カーネーション。少しずつちがうピンク色の花でアレンジされた、明るくて華やかな花束だ。

「見て、結夏！　すごくきれい！」

「ほんとだね」

ラッピングしたセロファンの内側に、秋元楽と名前が入ったカードが差しこまれていた。

――秋元楽――棗はこの時はじめて、楽の名前を知った。

「秋元さんは？」

「それが、急いでるからって、帰ってしまったのよ」

棗は、花束をみつめ、ふふっと笑う。

「なんか、そういうとこ、あの人っぽいよね」

結夏がうなずいた。

「うん。秋元さんっぽい」

「最後にあいさつくらいしてくれればいいのに――――」

楽は病院の正面玄関をでて、明るい日差しの下を歩いていた。

昨日までとはうってかわり、今日の空は晴れている。

彼のすぐうしろを歩いている美しい女性は、例の〝神さま〟だ。ホルターネックの黒いミニドレスを身につけ、今日も大人っぽい雰囲気だった。

「もう行っちゃっていいの？」

神さまは、腰に両手をあててあきれかえっている。

「俺にやれることなんて、もうないだろう」

「あら、冷たいじゃない。ちょっとくらい、そばにいてあげたらいいのに」

楽は振りかえり、少し笑った。

「あいつのそばには、もういるだろ。適任なやつが」

そう、棗には結夏がついている。

悲しみをのりこえたふたりの絆は、きっともう壊れることはないはずだ。

「さあ、次の街へ行くぞ」

そう言って、楽はまぶしそうに空を見あげた。

エピローグ

百三十五時間目の授業を終わります。

空き家にひびく声の正体は、意外なものでした。

死者かと思われたその少女の霊は、なんと生き霊。

彼女を生き霊にしたのは、ゆがんだ愛情をおしつける両親の存在でした。

はた目からは幸せそうに見えた少女の家族ですが、じつは親が娘を虐待していたのです。

〝あなたは特別だから〟と言いながら……。

さらに、クラス内のいじめが原因と思われた橋での自殺も、この両親が原因。

そんな二転三転する怪事件でしたが、楽の活躍で無事に解決しました。

きっとあの毒親は、地獄をさまよっていることでしょう。

そして眠りから覚めた少女は、幸せな未来をつかむはずです。

みなさんも、橋を渡る時には十分に気をつけてください。
ぼんやりしていると、得体の知れないなにかに、ひきずりこまれるかもしれません。
たとえば、逆恨みをした毒親の霊などに………。
それでは、次回の絶叫学級でお会いしましょう！

絶叫学級 キャラクター紹介

出席番号01 黄泉

恐怖の授業の案内人。
その正体は、人々の怒りや
悲しみなど「負の感情」を司る
神様らしい…。
「下半身のない幽霊・秋元優美」
の身体に閉じ込められ、
現在の姿に。

「黄泉」のことを
もっと知りたい子は
読んでみて――…

「黄泉の真実」

（RMC絶叫学級③/
絶叫学級 くずれゆく友情編）

「黄泉の誕生」

（RMC絶叫学級⑩/
絶叫学級 黄泉の誕生編）

黄泉'sファッションショー

あなたはどの黄泉がお好き？

Yomi's Fashion Show

真似したくなるかわいいファッションと、
そのコーデにぴったりなお話も紹介！

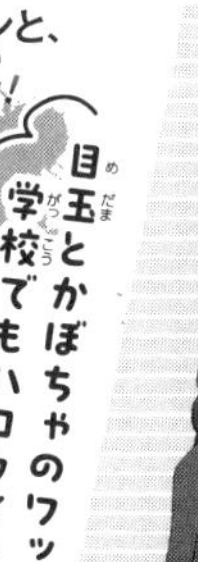

目玉とかぼちゃのワッペンで学校でもハロウィン気分

血まみれのハロウィンが始まる—…

「ハロウィンホラーナイト」
（RMC絶叫学級 転生④／
絶叫学級 パーティーのいけにえ編）

みつあみ×フチめがねで
気分はちょっぴり優等生

飲むだけで頭が良くなる薬があって…？

「能力サプリメント」
（RMC絶叫学級②／
絶叫学級
ゆがんだ願い編）

あみタイツでキュートでセクシーな地雷系コーデ♡

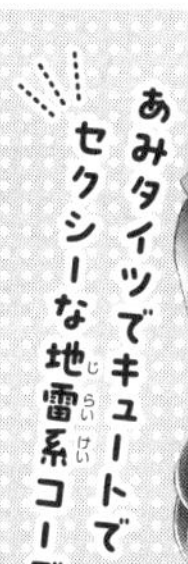

「理想の彼氏」をゲームで育成!?

「彼氏♡物語」
（RMC絶叫学級⑦／
絶叫学級 いびつな
恋愛編）

夏祭りはさわやかにアップスタイルなヘアアレンジ

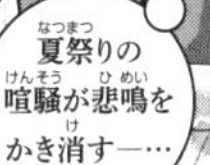

夏祭りの喧騒が悲鳴をかき消す—…

「生けにえクラブ」
（RMC絶叫学級③／
絶叫学級 禁断の遊び編）

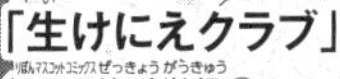

この作品は、集英社よりコミックスとして刊行された『絶叫学級　転生』3、11、15巻をもとに、ノベライズしたものです。

集英社みらい文庫

絶叫学級(ぜっきょうがっきゅう)
しのびよる毒親(どくおや) 編(へん)

いしかわえみ　原作・絵

はのまきみ　著

ファンレターのあて先
〒101-8050　東京都千代田区一ツ橋 2-5-10　集英社みらい文庫編集部
いただいたお便りは編集部から先生におわたしいたします。

2023 年 6 月 28 日　第 1 刷発行
2025 年 2 月 18 日　第 2 刷発行

発 行 者　今井孝昭
発 行 所　株式会社 集英社
〒101-8050　東京都千代田区一ツ橋 2-5-10
電話　編集部 03-3230-6246
読者係 03-3230-6080
販売部 03-3230-6393（書店専用）
https://miraibunko.jp
装　　丁　平松はるか（クリエイションハウス）　中島由佳理
印　　刷　TOPPAN 株式会社
製　　本　TOPPAN 株式会社

★この作品はフィクションです。実在の人物・団体・事件などにはいっさい関係ありません。

ISBN978-4-08-321790-6　C8293　N.D.C.913　200P　18cm

宿敵たちの邪悪なたくらみ——
絶叫学級
罠に落ちたライバル編
いしかわえみ・原作／絵
はのまきみ・著
集英社みらい文庫

既刊案内

1 禁断の遊び 編
2 暗闇にひそむ大人たち 編
3 くずれゆく友情 編
4 ゆがんだ願い 編
5 ニセモノの親切 編
6 プレゼントの甘いワナ 編
7 いつわりの自分 編
8 ルール違反の罪と罰 編
9 終わりのない欲望 編
10 悪夢の花園 編
11 いじめの結末 編
12 家族のうらぎり 編
13 不幸を呼ぶ親友 編
14 死を招く都市伝説 編
15 呪われた初恋 編
16 満たされないココロ 編
17 笑顔の裏の本音 編
18 ナイモノねだりの報い 編
19 人気者の正体 編
20 いびつな恋愛 編
21 つきまとう黒い影 編
22 悪意にまみれた友だち 編
23 災いを生むウワサ 編
24 悪魔のいる教室 編
25 むきだしの願望 編
26 還り道のない旅 編
27 黄泉の誕生 編
28 むしばまれた家 編
29 繰りかえすコドモタチ 編
30 見えない侵入者 編
31 赤い断末魔 編
32 コンプレックスの奴隷 編
33 ウワサ話の黒幕 編
34 報復ゲームのはじまり 編
35 パーティーのいけにえ 編
36 恋人たちの化けの皮 編
37 しのびよる毒親 編
38 黄泉に眠る記憶 編
39 檻のなかの怨念 編
40 罠に落ちたライバル 編

「りぼん」連載の人気ホラー・コミックのノベライズ!!

いしかわえみ・原作/絵

はのまきみ（25より）
桑野和明（24まで）・著

こちらもオススメ！

3 くずれゆく友情編

昔の卒業アルバムを見ていたら別世界に飛び、写真の人物が目の前に現れる「黄泉の真実」ほか3話を収録。

13 不幸を呼ぶ親友編

友だちをほしがっている少女のもとに、差出人不明の手紙が届きはじめる「ベストフレンド」ほか3話を収録！

22 悪意にまみれた友だち編

容姿を変えられるプリクラで友だちを見返したい少女を描いた「プリント・コレクション」ほか4話を収録！

第14回みらい文庫大賞
大賞受賞作
死にたくないならサインして
裏切り
ニセモノ
狐狗狸
作 日部星花
絵 wogura
正義の味方か？地獄の使者か？
超・新感覚ホラー!!
大好評発売中

だってわたしは、
怪異対策コンサルタントですから！
まずはサインをしてもらって、それから
お話を聞かせてくれませんか？

どしゃり。それは、人だった。
腕と足がおかしな方にまがってる。
じわじわと、身体の下に血溜まりができていく。

水橋ユキ（中1）には誰にも言えない悩みがあった。
毎日決まった時間に、彼女にだけ見えるのだ。
――女の子が、真っ逆さまに落ちていくのが。
友人のすすめで、【怪異対策コンサルタント】を
しているという緋宮せいらに相談することに。
血のように真っ赤な契約書を取りだし、話を聞くせいら。
一体何者なのだろう？　信じてよいのだろうか――？

お万の方物語

16才の尼だった私は
美しい…
女嫌いだった家光様に見初められて
第3代将軍
徳川家光
お万の方

髪が生えるまで閉じ込められることに
つらい…

将軍の妻が集まる大奥に入り
家光様に溺愛されたけど子はできず…

悲しみを抱えつつ春日局様の遺志をついで
大奥のトップに！
くわしくは小説を読んでね！

家康から十五代続いた
徳川将軍の本拠地・江戸城。
その奥には将軍の妻たちが暮らす
絢爛豪華な「大奥」があった。

大人気
『戦国姫』の
藤咲あゆな先生
&
マルイノ先生
がおくる！

将軍を支え「大奥」に生きた女たちの物語——！

#「みらい文庫」読者のみなさんへ

言葉を学ぶ、感性を磨く、創造力を育む……、読書は「人間力」を高めるために欠かせません。
たった一枚のページをめくる向こう側に、未知の世界、ドキドキのみらいが無限に広がっている。
これこそが「本」だけが持っているパワーです。
学校の朝の読書に、休み時間に、放課後に……。いつでも、どこでも、すぐに続きを読みたく
なるような、魅力に溢れる本をたくさん揃えていきたい。読書がくれる、心がきらきらしたり
胸がきゅんとする瞬間を体験してほしい、楽しんでほしい。みらいの日本、そして世界を担う
みなさんが、やがて大人になった時、「読書の魅力を初めて知った本」「自分のおこづかいで
初めて買った一冊」と思い出してくれるような作品を一所懸命、大切に創っていきたい。
そんないっぱいの想いを込めながら、作家の先生方と一緒に、私たちは素敵な本作りを続けて
いきます。「みらい文庫」は、無限の宇宙に浮かぶ星のように、夢をたたえ輝きながら、次々と
新しく生まれ続けます。
本を持つ、その手の中に、ドキドキするみらい――――。
本の宇宙から、自分だけの健やかな空想力を育て、〝みらいの星〟をたくさん見つけてください。
そして、大切なこと、大切な人をきちんと守る、強くて、やさしい大人になってくれることを
心から願っています。

２０１１年　春

集英社みらい文庫編集部